Rhithiau

MARTIN
DAVIS

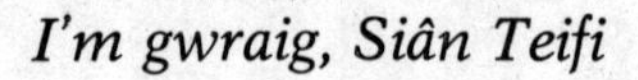
I'm gwraig, Siân Teifi

Ymddangosodd y stori *Yr Oed* yn *Barn,* Gorffennaf 1992.

CYNNWYS

Yr Oed

JONI Mac a alwodd â'r newyddion am gau'r gwaith ar ei ffordd adra. Eisteddai'n swrth a disgwylgar wrth fwrdd y gegin, ei wyneb ffidil wedi'i ymestyn yn soddgrwth dolefus, tra huliai Moira baned a brechdan iddo fo.

'Be wneith dy hogia di rŵan, Joni?' gofynnodd iddo, gan ddiolch iddi'i hun fod Bili, ei mab hyna, wedi cael gwaith i ffwr' yn Macclesfield fis yn ôl, a hwnnw'n waith gwerth chweil hefyd. Clywodd hi Joni'n mwmian rhywbath am y dôl wrth i'w geg gau am ei ail frechdan.

Taniodd Moira ffag heb gynnig i Joni ac edrychodd drwy ffenast y gegin dros doeau'r tai yn y rhes oddi tani, draw at yr eigion o binwydd a orchuddiai'r llethrau'r holl ffordd i lawr at waelod y dyffryn. Roedd tarth annifyr wedi ymdaenu dros bob man gyda'r pen llanw yn yr afon. Roedd blas yr heli'n gry yn yr awyr heddiw a phob dim i'w glywed yn damp ac yn ludiog.

Trodd yn ôl at Joni Mac a oedd wrthi'n claddu darn nobl o deisen erbyn hyn. Sut oedd o'n cadw mor dena a fynta cymaint am ei fol o hyd? Sgerbwd o dena'n wir. Llond ei fol o lyngyr, ma' rhaid. Doedd hi, Moira, ddim yn bwyta teisennau, jest yn eu cadw nhw, rhag ofn, yntê—ar gyfer pobl ddiarth—a'r plant, wrth gwrs.

'Be wneith Finn? Ydi hi dal eisio bod yn fodel, 'lly?' gofynnodd Joni wrth lyncu'n galed.

Fionnula, ei merch hyna oedd hon, dwy ar bymtheg oed, corff talsyth ei thaid ganddi, siâp bachgennaidd trawiadol; ei phen yn llawn plania a syniada smala a godai fel mysharŵms dros nos, yn gnwd ffres yn barod i'w hel bob bora.

'Ond 'sdim dal yn y byd 'na chwaith, nag oes?' aeth Joni yn ei flaen. *'When they don't need you any more, that's it, finish . . . Good bye, Joe!* Oes ragor o deisen, Mois?'

Yn awtomatig, torrodd Moira ddarn arall—darn arswydus o fawr, hollol anhylaw o fawr i'r pwtyn yn ei oferôls gwyrdd golau a'i sbectol pot jam. Roedd yn rhaid gorffan y deisen achos weithia, 'nenwedig rŵan hefo'r plant allan o'r nyth trwy'r dydd, byddai hi'n sglaffio ambell sleisen yn slei bach hefo'i phanad yn y bora—a'r prynhawn hefyd o ran hynny. Gora oll, os medra Joni ei gorffan hi rŵan.

Roedd hi'n ceisio cadw at *thirteen seven,* ond y bore 'ma, roedd y nodwydd wedi crynu o gwmpas yr un-pwys-ar-ddeg 'ma. O le ddiawl oedd y pedwar pwys ychwanegol 'na wedi dŵad? Ar y deisen oedd y bai, siŵr Dduw—er mai'r galon oedd wrth wraidd y gorbwysa 'ma yn y bôn; roedd pawb yn gwbod hynny—wel, pawb yn y pentra, beth bynnag.

Doedd y lletem anhylaw o deisen ddim yn peri unrhyw broblem i Joni. Fe'i gwasgodd i mewn i'w safn fel peithon yn llyncu llygoden fawr, platiau'i ddannedd yn rhuglo wrth iddo ddadgolynnu'i ên o gwmpas yr haenau tywyll o hufen a siocled, ei lygaid penbwl yn troi am i mewn gyda'r ymdrech.

'Diolch byth, tydi Geth ddim yma i'w weld o,' porthodd Joni, briwsion yn tasgu i bob cyfeiriad, bysedd siocled yn baeddu'r lliain glân. 'Roedd yn byw am ei waith, 'doedd?'

Wel, nag oedd, wir, meddyliodd Moira. Chafodd Gethin fawr o gyfle i fyw am ddim byd, naddo? Roedd Moira wedi nyrsio'i gŵr drwy'i gystudd ola. Cystudd budur ar y naw. Ych y fi. Bob dydd yn ystod y ddeufis cyn ei farw, roedd hi wedi gweddïo i grafangau bywyd lacio'u gafael a gollwng y claf yn rhydd. Ond nid felly y bu, naddo. Ych y fi, naddo. Roedd wedi crebachu i ddim byd erbyn y diwedd.

Un tena fuodd Geth erioed, cyn ei waeledd hyd yn oed, mor dena â brân ichi—yn eiddil bron.

Stwmpiodd Moira ei sigarét yn y sinc. Roedd hi heb smocio mwy na'i hanner hi.

Roedd Joni ynta'n tanio ffag rŵan. Damia, doedd hi ddim eisio bod hwn yn loetran yma heddiw. Roedd Joni'n dal ati yn deud ei gŵyn wrth geisio disodli darn o deisen a oedd wedi mynd yn sownd o dan ei ddannedd:

'Ar y blydi *scrap heap* ar ôl *27 years of service.* Roedd Bili'n gall i adael pan wna'th o. Ei waith o'n mynd yn iawn, 'di?'

'O, yndi, *champion,*' atebodd Moira'n fecanyddol—ei meddwl yn drifftio gyda'r niwl.

'A wyt titha'n cadw'n iawn?' gofynnodd Joni o weld ei bod hi ymhell braidd.

'Yndw, diolch, Joni—siort ora,' meddai gan droi ato o glywed y tinc pryderus yn ei lais. Wel, ia, roedd ganddo fo reswm dros boeni hefyd, yn doedd? Lle câi'i frechdan a phaned ar y ffordd adra tasa rhywbeth yn digwydd iddi hi?

Gwenodd Joni'n gam ati, platyn ucha'i ddannedd yn syrthio ymlaen wrth iddo wneud.

'Yr hen dicar yn bihafio, 'lly?'

'Yndi, Joni. Diolch yn fawr iti.'

Doedd o ddim, wrth gwrs. Doedd yr hen dicar ddim yn iawn neu fasa hi ddim fel *barrage balloon,* na fasa? A fasa'r hen wawr las 'na ddim i'w gweld ar ei gruddia o hyd, fel 'sa Dani, y fenga, wedi bod wrthi'n lliwio'i hwynab hefo'i greons.

Hen gylch cyfyng o beth oedd o hefyd—rîal *Catch 22*—ddim yn cael cerdded aballu i golli pwysa, a'r holl bwysa'n rhoi straen y diawl ar y galon—llai byth o gerdded wedyn rhag ofn rhoi mwy o straen byth arni. Be wnei di, wir Dduw?

Dod â Dani i'r byd oedd hi pan gafodd y trawiad cynta. Gweld y swpyn gwawchlyd, gwaedlyd yn llithro oddi wrthi—fel 'sa hi'n syrthio i lawr ffynnon ddofn, ddu. Roedd y ffynnon yn oer ac roedd hi'n gwbod ei bod hi'n marw. Ddaeth hi ddim o'r ffynnon 'na am yn hir—lwcus iddi ddod o'na o gwbl, meddan nhw.

'Wel, mi a i, ta,' meddai Joni gan godi ar ei draed o weld nad oedd chwanag o fwyd ar gael am y tro. 'Diolch am y banad, Mois.'

'Croeso, Joni. Galwa eto.'

'Mi wna i. *Cheerio* ichdi.'

Ac fe aeth drwy'r drws ac i fyny'r llwybr i'r rhes ucha o dai. Gwyliodd Moira fo'n mynd, rhyw herc fach ddoniol yn ei gerddediad. Byddai'n hercio fel 'na yn yr ysgol bach 'stalwm. Pump a deugain o flynyddoedd yn ôl a bod yn fanwl gywir.

Croesodd Moira draw at y bwrdd a'i phlympio'i hun yn dindrwm ar un o'r cadeiriau. Gallai glywed lleisiau'r plant yn chwarae ar eu beiciau ar y lôn o flaen y tŷ a rhu'r afon yn nüwch y goedwigaeth yr ochr draw i Gae'r Pandy.

Roedd hi wedi gneud ha gwlyb ac roedd tipyn o sŵn yn y ffrydia. Ond roedd 'na lai o ddŵr yn yr afon y dyddia 'ma o gymharu â phan oedd hi'n blentyn—rhywbath i 'neud â'r lle trydan newydd yn y cwm nesa, meddan nhw. 'Radag honno, roedd y pyllau'n ddwfn, ddwfn a dyna lle bydda hi ac Eamonn a Patsy a Joni Mac a'r lleill yn nofio yn yr ha. Roedd corff ystwyth, gwydn, pryfoclyd ganddi 'radag honno.

Edrychodd ar y pawennau blonegog ar y bwrdd o'i blaen ac fe'u gwthiodd mewn cywilydd i blygion ei brat.

Drwy ddeunydd y ffedog, gallai deimlo ffurf betryal yr amlen. Fe'i tynnodd o'i guddfan a'i rhoi ar y bwrdd o'i blaen. Edrychodd ar yr ysgrifen lac anwastad. Doedd hi ddim wedi'i nabod hi'n syth y bore 'ma. Wedi'r cwbl, doedd o ddim wedi sgwennu ati ers pum mlynedd ar hugain neu ragor, nag oedd? Eto i gyd wrth blygu i godi'r amlen o'r mat, roedd ei stumog wedi llamu wrth weld y llawysgrifen anhysbys; roedd yna rywbath yn llif y llythrennau a oedd mor gyfarwydd iddi â llif y nant yn y coed.

Adwaenai Moria sgrifen pob llythyr personol arall a ddeuai ati hi—sgwigls mân, mân ei modryb Nansi o Dalkey; llythrennau breision afrosgo Patsy a *copperplate* Ceinwen Niwbwrch. Buodd Ceinwen yn nyrsio hefo hi yng Nghaerwrangon ers talwm. Bu hiraeth bron â bod yn drech na Ceinwen yn yr ysbyty 'cw, druan bach. Dim ond Moira gyda'i sbort a'i sbri cynhenid oedd yn ei chadw i fynd, meddai hi. Doedd hi ddim wedi gweld Ceinwen ers naw mlynedd, ers geni Dani. Wyddai Ceinwen ddim ei bod yn edrach fel hyn, fel dau gant o lo mewn sachen gant, er bod Moira wedi ceisio sôn am ei chyflwr yn ei llythyrau ati. Basa'n rhoi'r byd i weld Ceinwen eto—ond ddim fel hyn. Doedd hi ddim eisiau gweld neb fel hyn.

Yn sicr, doedd Gerry ddim yn ei chofio fel hyn—yn dewbwl diafael. Pa gof oedd ganddo fo ohoni, tybed? Noson ei phen-blwydd, yn nofio'n noethlymun yn y Med, falla?—fynta'n ceisio cadw'r bandeisia trwchus a oedd am ei ddwylo allan o'r môr trwy nofio ar ei gefn. Cofiodd Moira mor rhyfedd ac mor gyffrous oedd y profiad o garu dyn na fedrai ddefnyddio'i ddwylo. Roedd ei gorff gwyn yn erbyn y tywod tywyll wedi'i hatgoffa o ddolffin. Ei freichiau diymadferth yn fflapio'n wantan fel esgyll wrth iddi'i swcro . . .

Yn sydyn, ar ôl craffu ar yr ysgrifen, roedd yr allwedd wedi troi yng nghlo'i chof. Roedd rhyw wres rhyfedd wedi cripian drwyddi a chynhyrfodd curiad ei chalon. Ond roedd ei bysedd yn cau symud i agor yr amlen a hefo gwaedd bach ofnus roedd hi wedi'i stwffio i boced ei brat lle'r oedd wedi pwyso fel talp o blwm drwy'r dydd gan wneud mwy o ddrwg i'w chyflwr na phe bai wedi gorffan pob briwsionyn o'r deisen siocled 'na.

Cododd yr amlen oddi ar fwrdd y gegin. Diawl, roedd staeniau siocled drosti i gyda rŵan—hen fochyn oedd Joni, yn bwydo mwy o'r llawr na fo'i hun.

Rhegodd Moira yn uchel. Fasa 'na ddim byd ar ôl o'r llythyr tasa hi ddim yn ei agor o cyn bo hir. Aeth i nôl cyllell.

A dyna Dani a dau o'i fêts bach yn cyrraedd i hel eu bolia. Cipiodd Moria y llythyr oddi ar y bwrdd a'i stwffio drachefn i boced ei brat. Yna, bwriodd ati i wneud sglodion tatw i'r hogia. Ella y cymerai hi ychydig o sglods ar blât bach—ond fasa hi ddim yn cael dim byd arall i'w fwyta heno.

Roedd hi'n tynnu am hanner nos cyn i Moira glwydo'r noson honno. Roedd Sylvia Cae Iago wedi galw i'w gweld, a hitha'n ypsét iawn. Roedd Gwilym, ei gŵr, ymhlith y pymtheg a oedd wedi colli'u gwaith wrth gau'r ffatri. Roedd Sylvia'n disgwyl ei phedwerydd cyw ac yn wff-wffio fel hwch dorrog wrth gyrraedd tŷ Moira. Bu Moira wrthi am ddwy awr a rhagor yn ceisio'i chysuro.

'Ti jest fel dy fam. Roedd hi'n rîal tonig pan fydda rhywun wedi cael ail,' meddai Sylvia gan gofleidio Moira ar y rhiniog wrth fynd. 'Biti 'i bod hi wedi mynd fel 'na, yntê?'

Piti'n wir, meddyliodd Moira wrth gau'r drws. O, oedd, roedd Moira'n gallu cynnig cysur i bawb, tawelu panics, gweld ffordd allan o gornel gyfyng, gweld haul yn dod ar fryn—ond, weithiau byddai hi'i hun yn dyheu am garreg ateb o ffrind i gael bwrw'i gofidia i gyd.

Ar fin gwylio'r newyddion oedd hi pan ddaeth Finn adra.

'Ti'n hwyr, Finn.'

'I called by at Jackie's. She's lost her work you know.'

'Ydi, siŵr iawn. *What'll she do now then?'*

A dechreuodd Finn esbonio i'w mam, â'i llais yn llawn cyffro, am fwriad Jackie a hi i fynd i America, 'u bod nhw wedi clywed am ddwy ferch o'r dre a oedd yn gweithio yno fel nanis, a bod bywyd yn grêt a phob dim yn ffantastig. Rhaid gwatsiad bo'chdi ddim yn cael dy ddal heb gerdyn gwyrdd, ond roedd 'na siawns go lew y caet ti rywbeth gwerth chweil yno ymhen hir neu hwyr.

Gwyliodd Moira'r wyneb tena'n llonni ac yn disgleirio wrth i'r cynlluniau dasgu fel peli ping pong o grombil ei dychymyg. Doedd dim diben i Moira hyd yn oed ddechrau rhesymu hefo'i merch. Basa 'na rywbath newydd wedi codi erbyn nos fory p'run bynnag, a syniad America wedi hen fynd i'r bin sbwriel.

'Reit, dwi'n mynd i'w throi hi,' meddai Moira am hanner awr wedi un ar ddeg.

'Okay, then. Do you want me to do the cat and the milk?'

'Mae'n iawn, cariad. *You get off now, child. America's a long way away, you'll be needing plenty of beauty sleep.'* Roedd acen a blas Gwyddelig cryf ar Saesneg Moira o hyd—acen ei mam, yr unig Saesneg a glywai erstalwm.

'Nos da, *then,* Mam.'

'Nos da, 'y mhwt i.'

Cododd Moira'n anurddasol o'r soffa. Fflicrodd rhyw fellten las ar draws ei llygaid am ennyd a theimlodd ei brest yn tynhau'n fygythiol ac yna'r pwysau'n llacio. Cliriodd y cwpanau coffi. Doedd dim sôn am y gath; gadawodd nodyn i'r dyn llefrith a diffoddodd y bocs a'r gola. Oedodd yn y cyntedd cyfyng cyn troi'i sylw at y grisiau a fyddai'n ei gadael yn tuchan fel rhedwr marathon cyn cyrraedd ei llofft. Roedd rhu'r afon yn codi ac yn disgyn fel tonnau ar draeth—aeth ei meddwl yn ôl i Cyprus a'i llamhidydd gwyn.

Wedi setlo yn ei gwely, trodd ei sylw unwaith eto at yr amlen. Roedd golwg y diawl arni erbyn hyn o ystyried mai dim ond bore 'ma roedd hi wedi cyrraedd. Roedd hi wedi'i phlygu i bob siâp ac roedd olion coffi, siocled a llwch ffags o boced ei brat drosti i gyd. Mewn un symudiad gwyllt roedd Moira wedi rhwygo'r llythyr ar agor gan hollti'r amlen ar ei hyd . . .

Y pella i Moira deithio yn ystod y pum mlynedd ddiwetha oedd i'r dre i weld Lalw Gaffey ar ei gwely angau. Yr adeg honno, roedd Geth wedi mynd â hi yn y car—noson dywyll ym mis Tachwedd, y glaw'n arllwys i lawr, llifogydd ar hyd y ffordd. Roedd y ffermwyr wedi bod yn tocio'r gwrychoedd heb glirio'r llanast a'r draeniau i gyd wedi'u blocio. Bu bron iddyn nhw dorri i lawr ar ôl mynd drwy un llyn mawr ar y ffordd. Roedd Moira wedi teimlo ton o ofn yn sgubo drosti. Be tasa rhywun diarth yn ei gweld hi? Ond ar ôl pwl o beswch anfodlon, ailgydiodd yr injan ac aeth y car yn ei flaen.

Dynes ddeallus oedd Moira. Cyn-nyrs a wyddai'n iawn beth oedd ffobia ac obsesiwn, ond doedd hynny ddim yn helpu dim iddi oresgyn yr ofn, chwithdod a'r panig anorchfygol a deimlai ynglŷn â'i gorbwysau. Roedd yn iawn yn y pentra. Roedd y rhan fwya yn ei nabod er pan oedd hi'n hogan bach, ac roedden nhw'n gwbod am ei salwch aballu. Ond 'dallai hi byth ddygymod â phobl ddiarth yn syllu ar ei siâp amorffws, brasterog wrth iddi wadlo i mewn i ryw archfarchnad i nôl ei neges. Cofiai sut roedd yr adrenalin wedi dechrau pwmpio pan glywodd si fod siop y pentra ar fin cau ddechrau'r gaea diwetha. Ble'r âi am ei neges heb fod pawb yn ei gweld?

Ond y bore 'ma, safai tacsi y tu allan i 18, Bro Gwelfor. Pwt-pwt y diesel yn chwalu tangnefedd blygeiniol y stad a'r caeau cyfagos.

Hanner awr wedi chwech. Sbeciodd Moira o'r tu ôl i'r llenni ar y cerbyd. Roedd Nedw wedi dod allan ohono i gael smôc, ei gefn at y tŷ, ei ben-ôl llydan yn ymledu dros ymyl pen blaen y car. Roedd Moira eisoes yn cerdded o'r tŷ cyn iddi sylweddoli nad oedd hi eto'n rhy hwyr iddi newid ei meddwl.

'S'mai, Mois?' meddai Nedw gan droi wrth glywed Moira'n cau drws y tŷ.

'S'mai, Nedw? Mae'n fore braf, tydi?'

'Yndi'n tad,' meddai Nedw gan gymryd ei *Gladstone Bag* a'i helpu i mewn i'r sedd flaen.

'Mae yna ddigon o le iti, Mois. Dwi wedi cario llwythi trymach na hyn, wsti.'

Doedd sylw fel 'na ddim yn brifo yn y pentra. Fasa hi ddim yn disgwyl llai gan Nedw.

Edrychai i fyny at y llofft lle'r oedd llenni Finn wedi'u cau'n dynn. Roedd hi'n hwyr iawn yn cyrraedd adra neithiwr. Dau, tri o'r gloch y bore, ella. Doedd Moira ddim wedi cysgu winc. Roedd poen fud yn ei brest ac roedd ei nerfau wedi'u clymu at ei gilydd fel nyth o wiberod bach. Roedd Dani wedi mynd i aros hefo Darren Cae Iago a doedd Bili ddim yn dod adra o Macclesfield y penwythnos yma.

Roedd hi wedi sôn wrth Finn amser te ddoe ei bod yn pasa mynd am dipyn o swae fore trannoeth. Ond roedd meddwl Finn yn rhy llawn o'i chynllunia diweddara i gymryd sylw o'r cyhoeddiad syfrdanol 'ma—neu felly y tybiai'i mam. Fiw iddi sôn wrth Dani. Roedd o'n ddigon hapus yn mynd i aros hefo'i ffrind bach, ond tasa fo'n gwbod bod ei fam yn mynd i ffwr', mi fasa wedi cadw pob math o sterics. Roedd Sylvia Cae Iago'n gwbod lle'r oedd hi'n mynd ond dim byd am ddiben ei thaith.

Dreifiodd Nedw'n ofalus i lawr y rhiw serth a arweiniai i fyny o'r pentra at y stad. Roedd yn fore hyfryd. Ymlaciodd Moira ychydig.

Ddeng munud yn ddiweddarach, gadawodd Nedw hi yn yr orsaf.

'Am chwech heno 'ma 'te, Mois?' gofynnodd.

'Ia. Diolch Nedw. Paid â bod yn hwyr.' Smaliodd ei bod yn tynnu'i goes ond mewn gwirionedd roedd ofn wedi gafael ynddi eto. Pan âi Nedw, byddai llinyn y bogail wedi'i dorri. Byddai ar ei phen ei hun go-iawn.

'Fydda i ddim, Mois. Cofia fi at y ffansi man.'

'Be?' gofynnodd Moira mewn braw.

'Jôc, Mois bach. Jôc. Tan chwech 'te?'

Ac roedd o wedi mynd.

Doedd neb ar y platfform a chyrhaeddodd y trên yn brydlon. Diolch byth! Roedd i'w weld yn wag. Ymlaciodd drachefn a dechreuodd fwynhau'r golygfeydd nad oedd wedi'u gweld ers cyhyd.

Pan ddaeth y tocynnwr, roedd hi'n amau ei bod yn ei nabod ac felly teimlai'n ddigon cynefin wrth dalu am ei thocyn a mentrodd ychydig o sgwrs am y wlad a'r tywydd. Ond a oedd o'n sbecian yn slei bach ar faintioli'i chorff? Cerddodd y tocynnwr yn ôl at y gyrrwr ym mhen blaen y trên a chlywodd Moira chwerthin cras. Trodd ei stumog. Mi'r oedd y cena siŵr o fod wedi dweud wrth y gyrrwr fod blamonj yn teithio gyda nhw belled â'r Junction. Dechreuodd chwysu a chododd ogla'r stwff roedd yn ei roi o dan ei cheseiliau'n gryf i'w ffroenau. Roedd yr haul cynnar wedi diflannu y tu ôl i len dilewyrch o gymylau. Roedd ei hawydd cynnar yn dechrau treio gyda'r llanw yn yr afon.

Gwelodd fod tipyn o bobl yn y Junction, o bob oed, lliw a llun, ond welodd hi neb yr un seis â hi. Stopiodd y trên ac arhosodd yn ei sedd gan obeithio y byddai'r platfform yn gwagio cyn ei bod yn gorfod symud.

O'r diwedd, cododd ar ei thraed a cherddodd at y drws. Cafodd ychydig o strach wrth ei agor. Y tu allan roedd nifer o bobl a oedd am deithio'n ôl i lawr y lein wedi ymgasglu. Llwyddodd Moira i agor y drws a chiliodd y dyrfa fach i adael y blamonj heibio, ac eithrio un hogyn bach a geisiodd wasgu'i ffordd heibio iddi yn y drws. Aeth y ddau'n sownd.

Gafaelodd mam y cena bach gwinglyd ym mraich ei hepil a'i lusgo'n ôl i'r platfform. Dechreuodd strancio a nadu. Trodd pob pen i gyfeiriad y sŵn. Erbyn hyn roedd Moira'n hollol wan. Ni welai ond môr o wynebau o'i blaen fel torf ar ffilm. Baglodd ac fe'i daliwyd gan sawl pâr o ddwylo. Aeth i ddweud diolch yn fawr a chael bod ei thafod wedi fferru yn ei cheg. Fel trwy fynydd o wadin clywodd lais yn cyhoeddi mai'r trên gyferbyn â hi oedd yn mynd i gyfeiraid Bae Colwyn. Rhedodd ar draws y platfform yn union fel y bydd rhywun mewn breuddwyd, pob cam yn slô-mô. O'r diwedd, glaniodd yn y cerbyd yr ochr draw. Llowciai'i hanadl yn boenus a chythrodd am y chwistrellydd a gadwai yn ei bag. Dau sbyrtiad o dan ei thafod a dechreuodd y symptomau gilio. Yr ochr draw iddi cysgai dyn canol oed a'i geg yn agored.

Dyn gweddol dew oedd o hefyd, nododd Moira.

Roedd y trên yn symud eto. Trên modern, tawel. Sychodd Moira'r chwys oddi ar ei hwyneb gyda'i hances ac archwiliodd gynnwys ei bag llaw i wneud yn siŵr nad oedd wedi colli dim byd wrth ffoi ar draws y platfform. Roedd popeth fel pe bai yno. Gallai weld y llythyr. Fe'i tynnodd allan i'w ddarllen am y canfed tro ers ei dderbyn.

Cawsai ei siomi braidd ar ôl ei agor y tro cynta, mai dim ond dwy ran o dair o un ochr y ddalen oedd wedi'u llenwi â'r ysgrifen fenywaidd lac.

Roedd yr amlen yn dangos ei bod wedi'i phostio yn Lerpwl ond cyfeiriad ym Mae Colwyn oedd ar ben y nodyn. Sganiodd y llith er bron nad oedd ei chynnwys ar gof a chadw ganddi erbyn hyn.

Annwyl Moira,

Gobeithio nad wyt ti wedi anghofio amdanaf yn llwyr. Mae 25 o flynyddoedd yn amser hir. Dwi wedi dod i fyw yma. Mae'n stori hir pam. Roeddwn i'n siarad hefo dyn o'ch pentref chi yn y dafarn y noson o'r blaen ac mi fues yn holi a oeddet ti'n dal o gwmpas—roeddwn wedi clywed dy fod wedi mynd adref i nyrsio dy fam. Dywedodd wrthyf am dy ŵr hefyd. Roedd yn ddrwg gennyf glywed.

Wnes i erioed briodi, ond mae gen i blentyn—wel, mae hi'n ugain oed erbyn hyn, ond ni fyddaf byth yn ei gweld hi. Dwi'n eithaf unig fan hyn. Basa'n braf iawn i'th weld ac inni hel atgofion am y dyddiau a fu. Tyrd draw os medri di. Cofion cynnes

Gerry.

A dyna fo. Y cyfathrebiad cyntaf ers chwarter canrif—hanner ei bywyd fwy neu lai. Ac roedd o eisiau ei gweld.

'I never want to see you again,' fuasai'i eiriau olaf wrthi cyn hynny. *'Never!'*—ei gyfarthiad ola wrth frasgamu trwy giât y barics a'r sentri'n syllu'n gegrwth ar y ddrama rhwng nyrs a sgwadi'n cael ei llwyfannu o flaen ei lygaid. Cofiai Moira iddi ddechrau crio wrth gerdded yn ôl i'r dre—y dagrau hallt yn rhychio'i cholur . . .

Edrychai'r môr yn oer heddiw wrth i Moira droi golwg hollol lygatsych a diemosiwn arno drwy ffenest y cerbyd. Ond roedd yn dwym iawn ar y trên serch hynny. Basa'n dda gan Moira dynnu ei chôt erbyn hyn ond gwyddai fod y gôt yma'n un dda ar gyfer cuddio'i gwir faint a byddai'n rhaid iddi godi ar ei thraed i'w thynnu a hwyrach y basa hynny'n deffro'r *gentleman* gyferbyn â hi, a byddai'n rhaid iddi sgwrsio. Roedd meddwl am y peth yn peri iddi chwysu'n fwy.

Ond Arglwydd mawr, byddai hi wedi'i phobi drwy'i chroen erbyn cyrraedd pen y daith.

Ceisiodd ganolbwyntio'i meddwl ar yr aduniad a ddeuai'n nes gyda phob polyn lein. Roedd meddwl am hynna fel sefyll o flaen ffridj a'r oerni'n gafael yn ei hymasgaroedd.

Doedd hi ddim wedi trefnu dim. Be tasa fo ddim adra? Wel, dyna fo. Basa hi wedi ymdrechu ymdrech deg, 'n basa? Basa'n ei throi hi am adra ac yn cwrdd â Nedw yn y stesion a mynd yn ôl at ei rhigol fach ddiogel ym Mro Gwelfor.

Ac os basa fo yno, wel, pa wahaniaeth, yntê?

Ei bai hi oedd y chwalfa; hi oedd wedi chwarae'r ffon ddwybig gyda'r staff sarjiant 'na o'r RAMC. Pam, tybed? Wyddai hi ddim. Hyd yn oed tasa Gerry'n gofyn iddi heddiw 'ma, fedrai hi byth esbonio pam.

Ymbellhaodd sŵn y trên a chiliodd ei hymwybyddiaeth o'r gwres llethol, anghysurus wrth iddi ddechrau ail-fyw'r hanes eto fyth yn ei phen. Roedd pob tro yn y stori'n or-gyfarwydd iddi, pob edrychiad, pob dyddiad, pob lleoliad, pob diweddglo amgen—roedd hi wedi ailredeg y ffilm hyd syrffed drwy daflunydd ei chof dros y blynyddoedd, ac er bod cyfnodau pan na fyddai'r atgof yn ei phlagio, byddai pwt o freuddwyd neu ryw symbyliad disymwth, di-alw-amdano'n dod â'r cwbl yn dylifo'n ôl, pob delwedd a golygfa mor ffres â'r diwrnod y digwyddodd . . .

Roedd Moira wedi ymuno â'r fyddin i nyrsio ar ôl gorffen ei hyfforddiant. Cyfle i weld y byd, medden nhw ac, yn wir, yn achos Moira, fe'i gwelodd—o Hong Kong i Brunei, o Ganada i Cyprus. Cafodd amser bythgofiadwy. Roedd hi'n nyrs dda ac yn gymeriad poblogaidd. Agorodd y fyddin ddrysau iddi, pob un ohonynt wedi'u cau'n dynn ers blynyddoedd erbyn hyn, wrth gwrs.

Tra oedd hi yn Cyprus roedd wedi cwrdd â Gerry, Gwyddel o Limerick yn y Fyddin Brydeinig. Roedd Gerry wedi'i losgi'n ddifrifol pan ffrwydrodd bom petrol yn y tryc y teithiai ynddo. Ei ddwylo oedd wedi'i chael hi waetha. Roedd Moira wedi'i hoffi'n syth pan ruthrwyd ef i'r uned losgiadau'n swpyn griddfanllyd, ei lygaid gleision ar led mewn sioc, a phaderau'r Hen Ffydd yn byrlymu dros ei wefusau . . .

Roedd y trên yn dechrau arafu. Roedd hi wedi cyrraedd yn barod. Erbyn hyn, roedd wedi ymlonyddu rhywfaint ar ôl yr ysgarmes ar blatfform y Junction. Roedd hel meddyliau'r milltiroedd diwetha wedi'i sadio. Deffrôdd y dyn yr ochr draw a gwenodd Moira arno—a gwenodd yntau'n ôl arni hi. Llonnodd drwyddi ond roedd wyneb fel llyffant gan y boi. Basa'i deip o siŵr o fod yn gwenu ar bob gwraig, rhag ofn mai ganddi hi y câi'r gusan hud.

Y tu allan i'r orsaf edrychodd ar ei wats. Tynnu at hanner wedi wyth. Roedd yn bryd iddi gael tabled ac roedd eisiau paned arni. Cerddodd i fyny'r clip bach o'r orsaf i'r brif stryd. Bu'n rhaid iddi stopio hanner y ffordd i fyny i gael ei gwynt ati. Sbyrtiad bach arall o dan ei thafod ac roedd hi'n iawn.

Cafodd hyd i gaffi oedd ar agor ac aeth i mewn. Roedd y ferch y tu ôl i'r cowntar fel rhaca o dena, neu felly yr edrychai i Moira. Roedd ganddi lygaid-blew-hir a'r rheini'n drwch o golur nes ei bod yn edrych fel pe bai wedi'i churo. Daliodd Moira hi'n sbïo'n rhyfedd arni wrth dywallt y te o'r peiriant, yn un o'r drychau mawr a hongianai ar y waliau. Fe'i gwelodd hi'i hun hefyd. Gartref roedd y drychau i gyd wedi'u tynnu.

Talodd am ei phaned ac aeth i eistedd wrth y ffenest. Roedd y gwydr wedi'i dintio fel na fedrai pobl y tu allan edrych i mewn neu fel arall fasa hi byth wedi eistedd mewn man lle y gallai'r byd a'i fam lygadrythu arni.

Agorodd y blwch tabledi arian a gafodd ar ôl ei mam. Prin bod y casyn bach yn ddigon mawr i gymryd ei chyflenwad o fferins amryliw am y dydd. Un piws a melyn ac un gwyrdd crwn rŵan. Un piws a melyn, un gwyrdd crwn a thri o rai bach coch ymhen dwy awr.

Fe'u llyncodd gyda llymaid o de. Roedd y te'n wan, yn llugoer ac yn llaethog.

Ochneidiodd a throdd i wylio'r dre'n deffro; lorïau'n dadlwytho; dynion y Cyngor yn sgubo dail cyntaf yr hydref; plant ysgol yn ymlusgo o ffenest siop i ffenest siop; merched ar eu ffordd i'w swyddfeydd. Roedden nhw i gyd yn edrych mor heini a lluniaidd. Un fach basgedig yn unig a welodd hi ac roedd honno yng nghwmni dwy lefren fach dena ac yn chwerthin ac yn siarad fel pe na bai ots yn y byd ganddi ei bod yn drymach ac yn lletach na nhw.

Roedd y caffi'n wag. Y ferch y tu ôl i'r cownter wedi diflannu i rywle. Basa'n neis cael eistedd wrth ffenast fawr fel hon bob dydd, meddyliodd Moira, i gael gweld y byd yn dadebru a phawb yn dechrau mynd o gwmpas eu pethau, heb orfod meddwl am fwydo hogyn naw oed, a phoeni am ddyfodol ei merch bendoll â'i holl freuddwydion mwg tatw, na phoeni bod gwaith yn brin i'w phlant; lle na fyddai'n rhaid iddi boeni chwaith am guddio'i chnawd rhag byd a borthai ar y *svelte* a'r prydweddol gan omedd y tew a'r afluniaidd.

Roedd dyn wedi croesi'r stryd gan anelu'n syth am y caffi. Craffai ar amlinelliad Moira drwy'r gwydr tywyll ac wrth ddod drwy'r drws edrychai arni'n hir ac yn feirniadol gyda'i lygaid gleision a safai fel gleiniau yn ei wyneb gwritgoch.

'*Good mornin'*.' Baglodd Moira dros y cyfarchiad greddfol gan gochi.

Nid atebodd y cochyn a throdd ei ben gan fynd at y cownter lle'r oedd y ferch denau wedi ail-ymddangos o ryw hafn yn y sgirtin.

Teimlodd Moira ei bod wedi'i dal. Roedd hi eisiau gadael y caffi ond fedrai hi byth godi heb dynnu sylw ati hi'i hun a doedd hi ddim eisiau i'r hen lwynog coch 'na sbïo arni eto. Ond fe aeth drwodd i'r cefn gyda'r ferch i edrych ar ryw beiriant neu'i gilydd. Achubodd Moira ei chyfle.

Allan ar y stryd unwaith eto, roedd Moira'n fwy anghysurus nag erioed. Roedd ffordd bell ganddi i gerdded ac roedd y stryd yn llenwi.

Fel na fyddai'n rhaid iddi holi neb pa ffordd i fynd roedd wedi gofyn i Sylvia, a oedd yn nabod y dre'n weddol dda, sut i gyrraedd cyfeiriad tŷ Gerry.

Roedd map bach ganddi yn ei bag, ond roedd hwnnw ar gof a chadw ganddi ers meityn hefyd.

Wrth waelod Howard Road edrychodd Moira'n ofidus ar yr allt serth a arweiniai at y tai. Roedd bron mor serth â'r llwybr o'r siop i Fro Gwelfor ac roedd hwnnw y tu hwnt iddi ers blynyddoedd. Ar ôl ychydig lathenni roedd hi'n ymladd am ei hanadl. Pwysodd yn erbyn blwch post, ei choesau fel brwyn oddi tani. Roedd hi'n rhy wan i ymestyn am y chwistrellydd hyd yn oed.

Bu'n sefyll yn erbyn y blwch post am sbelan. Aeth pobl heibio iddi heb gymaint ag edrych arni. Symudodd yn ei blaen, ychydig droedfeddi ar y tro.

Erbyn hyn, doedd hi ddim yn gwybod pam ei bod wedi mentro ar y daith wirion 'ma, i weld *old flame* fel tasa hi'n dal i fod yn hogan bedair ar bymtheg oed a sleifer o gorff siapus ganddi, a'i gwallt fel y frân a dim fel 'sa rhyw g'lomen wedi bod yn cachu drwyddo; hogan a allai ddawnsio drwy'r nos yn hytrach na hen groc a oedd yn gwywo wrth ddringo'r grisiau i'r tŷ bach.

Sadiodd ei golwg ar rif y tŷ a lechai y tu ôl i wrych prifet blêr. Hwn oedd o. Dyma gastell ei thywysog hardd. Roedd wedi cyrraedd; roedd y nod wedi'i gyrchu; roedd yr oed ar fin cael ei gadw.

Tai mawr oedd y rhain, cartrefi erstalwm i fancwyr a chyfreithwyr ac eraill gwell na'i gilydd, mae'n siŵr, ond erbyn hyn roedd eu hen grandrwydd wedi'i blicio braidd. Roedd golwg ddi-raen ar y naw arnynt. Y gerddi heb eu trin, y stwco'n briwsioni, twll mewn ambell ffenest. Llety i bob math o froc dynol oedden nhw bellach. Roedd Moira eisoes wedi gweld rhyw gymeriadau digon brith eu golwg yn cerdded o rai o'r tai.

'Twlc,' penderfynodd. 'Blydi twlc.'

Oedodd wrth y llidiart haearn bwrw rhydlyd. Na, fedrai hi byth 'i wynebu fel hyn—dim y llencyn hardd 'na; dim ei llamhidydd gwyn. Trodd i gerdded yn ôl i lawr y rhiw.

Agorodd drws y tŷ a cherddodd dyn i lawr y llwybr tuag at y giât. Llamodd calon Moira, Gerry oedd o—ond na, hen ddyn oedd hwn, moel, rhychiog, crebachlyd. Herciai fel Joni Mac, ac wrth iddo fynd heibio i Moira, sgubai drycsawr wisgi a pi-pi'n gymysg i'w ffroenau nes iddi deimlo'n union fel pe bai'r dyn diarth wedi dyrnu'i thrwyn. Prin iddo edrych ar Moira wrth iddo simsanu heibio. Ond, yn ddisymwth, dyma'i feddwdod yn mynd yn drech na'i gydbwysedd a phlygodd ei goesau fel ceubren oddi tano. Roedd hwn yn ddyn tew, trwm hefyd—y tewa a welsai Moira ers gadael y tŷ, ac yn ei chwildod, rholiodd tuag ati fel llwyth rhydd ar fwrdd llong mewn storm.

Er mwyn atal ei hun rhag mynd ar ei din i'r clawdd, ymestynnodd ei ddwylo a gafaelodd yn wyllt ym mhlygion côt y ddynes a safai ger y giât.

'O, Mam bach!' meddai Moira, wedi'i dychryn. Dechreuodd y gwayw pŵl a fu'n bygwth ers iddi godi'r bore hwnnw hyrddio drwyddi fel ebill.

Trodd y meddwyn bâr o lygaid syn ati. Yng nghanol y gweoedd llidiog o fân wythiennau a'u hamgylchynai, gwelai Moira, drwy niwl o boen, lesni cyfarwydd.

Rhith Rheolaeth

MAE'R teiliwr wedi cael hyd i dun o datws. Mae'n rhaid bod y tun wedi'i chwythu o gegin y bwyty dros y ffordd pan syrthiodd y clwstwr diwetha o rocedi. Mae o'n eistedd yn y gongl ac yn edrych ar y tun ar ei arffed fel cybydd uwchben ei gelc, tra mae'r gweddill ohonon ni'n ei gil-lygadu'n gyhuddgar fel tasen ni'n ofni y bydd o'n llarpio'r cynnwys heb gynnig dim i neb arall—er go brin y medrai dyrchu i mewn i'w ysbail yn ddiarwybod i ni. Lle cyfyng ydi hwn a pheth digon digyfaddawd ydi tun heb declyn i'w agor.

Mae holl *bonhomie* y bore pan ddechreuodd y saethu wedi hen ddistyllu wrth i wres y prynhawn droi'r ddaeargell 'ma yn ffwrnais. Bysedda'r haul drwy'r tyllau yn y to fel nad oes unlle y medar dyn gysgodi'n iawn.

Yr henwr sy'n gorwedd yn y man mwyaf cysgodol. Fe'i rhoddwyd yno ar y dechrau, pan oedden ni'n dal i boeni am ein gilydd. Fe'n gwylia gyda'i lygaid miniog, ei dafod yn chwarae'n barhaus ar hyd ei wefusau lliw iau. Bob hyn a hyn, bydd o'n chwerthin yn dawel ac yn ysgwyd ei ben.

'Be di'r jôc, hen ŵr?'

Y milwr ifanc sy'n gofyn. Mae o'n gorwedd ar wastad ei gefn wrth waelod y grisiau, pigyn ei gap wedi'i dynnu dros ei lygaid.

'Dim byd, washi. Dim byd.'

Mae'r milwr yn codi ar ei benelin gan wthio'r cap yn ôl ar ei dalcen.

'Tyd ymlaen. Rhanna fo hefo ni.'

Mae'r henwr yn cau'i lygaid ac yn tynnu'n ôl i'w gragen.

'Na. Hidia befo.'

Prin y galla i glywed ei lais ac mae'r hiwmor wedi cilio o'i wyneb. Mae o'n ochneidio ac yn gorwedd yn hollol lonydd fel pe bai ar elor.

Yr eiliad nesa mae'r milwr ar ei bedwar wrth ei ochr ac yn ei binsio'n filain.

'Tyd, yr hen strelgi. Allan ag o!'

Mae llygaid yr hen ddyn yn fflicran ar agor, ond does arno ddim ofn y milwr ifanc. Mae o'n edrych yn syth i'w wyneb ac yn rhedeg ei dafod crimp dros ei wefusau cyn siarad.

'Jest yn ei gweld hi'n ddoniol o'n i. Ddeugain mlynedd i'r diwrnod, coelia, ni oedd yn tanio at y pentre 'ma. Roedd y gwrysg ar dân ar ochor y Foel, ac roedd stablau'r barics ar dân hefyd. Mi allech chi glywed y ceffylau'n sgrechian ac roedd ogla cig yn rhostio dros bob man am ddwrnodia, a'r Cochion yn ffoi am eu bywydau.'

Gwrendy'r milwr ar ei eiriau, ei geg yn lled-agored. Mae'n edrych ar y dyn ac yna'n troi'n ôl i'w orweddfan flaenorol dan regi.

Mae'r milwr yn ysu am fod hefo'i gydfilwyr, yn ymladd y gelyn—dim hefo cwmni broc y seleri.

'Ac ugain mlynedd cyn hynny,' â'r hen ŵr yn ei flaen gan droi'i lygaid hebogaidd o'r naill wyneb i'r llall, 'roedd 'y nhad inna'n amddiffyn y lle rhag gwŷr meirch a hapfilwyr y sglyfaeth Iddew 'na . . .'

'Doedd o ddim yn Iddew,' meddai'r teiliwr yn chwyrn gan anghofio'i dun tatws am y tro, ei lygaid tywyll yn fflachio.

'Celwydd oedd hynny iti . . .'

Boddir gweddill ei eiriau gan gamau cawr ar y stryd y tu allan wrth i batrwm o fomiau mortar ddisgyn yn weddol agos at ein cuddfan. Mae plastr a darnau mân o goncrid yn cael eu bwrw ar ein pennau. Mae pawb yn dechrau poeri a phesychu wrth i gwmwl trwchus o lwch lenwi'r ddaeargell.

Wrth fy ochr, mae'r fam ifanc yn dal i fagu corff ei merch. Mae'r plentyn fel tasa hi mewn cwsg. Dim marc arni. Pwysedd y ffrwydrad wedi rhwygo'i hysgyfaint yn greia, debyg iawn. Edrycha'r fam yn syth o'i blaen gan fwmian rhyw bader neu hwiangerdd. Pan gyrhaeddais y ddaeargell am wyth o'r gloch y bore 'ma pan ddechreuodd y saethu, ro'n i'n meddwl mai cysgu oedd y ferch fach. Mi ryfeddais fod plant yn gallu cysgu drwy bopeth a mi wenais i ar y fam ac fe wenodd hithau yn ôl arna i. Roedd ganddi fwlch bach smala rhwng ei dannedd blaen. Ac yna, mi welais i fod y fechan wedi'i lladd.

Mi feddyliais am fy mhlant fy hun yng nghartref fy mrawd pymtheg cilometr o'r ffrynt—yno i helpu hefo'r cynhaea—os bydd yna un eleni hefo'r sychdwr a'r holl ymdaro. Does yna neb ar ôl ar y fferm. Mae dynion y fro i gyd yn y fyddin—neu gyda'r gwrthryfelwyr, neu wedi ffoi gyda'u teuluoedd. Cynhaea o fath gwahanol bia hi eleni.

Erbyn hyn mae'r ferch yn edrych yn fwy fel doli glwt, fel 'se hitha hefyd wedi gwywo yn y gwres, ei phen wedi'i blygu am 'nôl, ei gwallt tywyll ar chwâl dros bob man, gwyn ei llygaid i'w weld a'r strimyn teneua o waed yn rhychio'r haen o lwch ar ei hwyneb gan fradychu'r llanast angheuol oddi mewn.

Rwy'n gwylio'r edau goch 'na drwy'r prynhawn. Mae'n ymestyn ac yn ymledu gyda'r cysgodion.

Rwy'n credu 'mod i wedi cysgu, neu hepian cysgu beth bynnag. Mae'n teimlo fel tasa 'na ryw dwymyn yn dechrau gafael yndda i. Ro'n i'n teimlo'n eitha ciami ddoe wrth garega yn y cae top. Ro'n i'n meddwl mai'r gwres oedd ar fai. Anodd credu mai 'mond ddoe oedd hynna hefyd.

Mae'r milwr wedi rhannu cynnwys ei gantîn gyda ni. Roedd rhywbeth cryfach na dŵr ynddo fo a doedd o fawr o help i leddfu'r syched sy'n dechrau ein gwallgofi. Yna, llwyddodd y milwr i fwrw dau dwll yn nhun tatws y teiliwr gyda'i fidog tra oedd hwnnw'n cysgu. Ond roedd y dŵr yn hallt ac mi luchiodd y milwr y tun oddi wrtho fo'n flin. A dyna'r teiliwr yn deffro a dechrau cwyno. Rhoddodd y milwr gweir i'r teiliwr ac ni chododd neb fys bach i'w stopio.

Erbyn hyn, mae'r teiliwr yn igian yn y gongl ac yn poeri gwaed i'r llwch. Mae'r nos yn nesáu ac mae'r tanio wedi ymbellhau.

Does neb yn dweud dim bellach. Pawb yn stwna uwchben ei bryderon ei hun. Dwi'n dechrau poeni fod y llysiau acw heb gael dŵr ers dros bedair awr ar hugain erbyn hyn.

Mae'r fam wedi rhoi'i phlentyn i orwedd ac wedi plygu'i breichiau bach groes ymgroes ar draws ei brest. O'i bag mae wedi tynnu crib bach pren ac mae'n cribo'r gwallt tywyll, cnotiog. Erbyn hyn mae'r gwaed wedi ffurfio staen piws o gwmpas ei cheg, fel tasa hi wedi bod yn bwyta mafon. Mae'r fam yn edrych ata i gan wenu'n wantan.

'Mor fach, mor ddel, yntê?' meddai drosodd a thro gan amneidio at y corff.

'Ydi, siŵr Dduw,' medda fi. Sŵn cryglyd aneglur sy'n dod o 'ngwddf hefyd. Mae fy nhafod yn fawr ac yn arw yn fy ngheg.

Mae'r milwr yn mynd ar ei bedwar i ben y grisiau. Mae'n gosod ei helmed ar ben baril ei reiffl awtomatig ac yn ei godi'n ara deg drwy'r twll i'r cyfnos y tu allan heb ddweud gair wrthon ni. Mae'n symud yr helmed yn ôl ac ymlaen ond does neb yn tanio. Yna, mae'r milwr yn dringo drwy'r twll ar ben y grisiau ac yn diflannu.

Y teiliwr sy'n ei ddilyn ac yna'r tri gyrrwr lorri. Dwi ar fy mhen fy hun hefo'r hen foi a'r fam ifanc a'i phlentyn marw. Dwi'n dechrau cropian tua'r twll.

''Wnei di alw doctor, yn gwnei?' meddai'r ferch. 'Dwi'n meddwl fod y fechan wedi'i brifo.'

Dwi ar fin codi fy mhen drwy'r twll.

'Gwnaf,' medda fi.

Ac yna, dwi drwy'r twll ac yn traflyncu awel glaear y cyfnos i'm hysgyfaint. Dwi'n 'u teimlo'n chwyddo o dan fy mrest i a dwi'n meddwl am sgyfaint bach yr hogan yn y seler fel dau falŵn wedi'u sigo.

Mae'r stryd yn wag. Mae gwydr yn crensian dan draed ac mewn mannau mae rwbel wedi'i chwydu ar draws y ffordd. A oes pobl o dan y rwbel, tybed? Mae'n bosibl, er bod y rhan fwya o'r trigolion wedi cilio at eu perthnasau yn y wlad ddechrau'r wythnos.

Yn sydyn, mae fy nghalon yn llamu. Dwi'n medru gweld braich yn sticio allan o dan drawst concrid enfawr. Yna, rwy'n gweld mai dim ond polyn i ddal adlen o flaen caffi ydi o—olion yr adlen goch yn garpiog amdano.

Mae'r cwbl yn nofio o 'mlaen i a chyn cyrraedd pen y stryd dwi'n gorfod chwydu. Mae 'ngwddf yn brifo'n arw wrth geisio codi'r bustl melynwyrdd, ond rwy'n teimlo ychydig yn well ar ôl gwneud, ac erbyn hyn rwy'n eistedd wrth fwrdd y tu allan i dafarn er mwyn sadio fy mhen a chael 'ngwynt ata i cyn ailddechrau ar fy nhaith.

Ar ôl munud neu ddau rwy'n codi ar fy nhraed drachefn ac yn mynd i mewn i'r dafarn. Mae'r drws yn lled-agored ond mae fel y fagddu y tu mewn. Dwi'n baglu draw at y cownter ac yn dringo drosto. Yn y tywyllwch dwi'n rhoi fy nhroed ar bentwr o boteli gwag ac yn torri fy mys ar ochr y sinc; galla i deimlo'r gwaed yn rhedeg ar hyd fy mraich at fy mhenelin. Dwi'n tuchan fel ci a 'nghalon yn pwmpio. Dwi'n clustfeinio rhag ofn bod rhywun wedi clywed y twrw wrth imi faglu dros y poteli, ond mae'r noson yn dawel heblaw am sŵn awyren yn y pellter ac ambell ergyd mortar fel ci'n cyfarth ar fuarth yn y nos.

Dwi'n cydio mewn dwy botel sy'n teimlo fel poteli dŵr ac yn dringo'n ôl dros y bar. Mae fy mys yn brifo erbyn hyn a dwi'n dechrau teimlo'n sâl eto. Y tu allan, a 'mhen yn troi a'r pwys yn codi'n ddi-atal yn fy mol, dwi'n gorwedd ar y llawr a'm llygaid ynghau.

Dwn i'm am faint dwi'n gorwedd yno, ond yn

raddol mae'r pwys yn cilio ac o'r diwedd dwi'n codi ar fy mhenelin.

Yng ngolau'r lleuad gwelaf mai potel o ddŵr a photel o win brandi sydd gen i. Dwi'n yfed hanner y dŵr ar ei ben cyn tagu. Dwi'n dod â'r cwbl 'nôl yn syth.

Rhaid gorwedd eto, yn gwylio'r sêr yn troelli uwch fy mhen. Am ennyd dwi'n cysgu, ac yna, dwi'n ôl yn effro, chwys ar fy nhalcen a'm hymasgaroedd yn gwingo. Mae ton o ofn ac anobaith wedi sgubo drosta i wrth imi ddeffro. Yn sydyn, mae'r dinistr afreal o'm cwmpas yn mynd yn real iawn. Dwi'n cofio nad yw'r hen lysiau wedi cael dŵr ers deuddydd bron. Fydd na ddim byd ar ôl.

Rhaid imi setlo fy stumog a dechrau am adra. Y tro yma dwi'n troi fy sylw at y gwin brandi. Blas sur sydd iddo fo, ond, ar unwaith teimlaf y cnofeydd yn fy mol yn cael eu lleddfu.

I'r gogledd mae taran y gynnau wedi ailgydio. Mae rhythm anghyson yn sbardun imi godi ar fy nhraed a chyfeirio 'nghamre tuag adra drachefn. Dwi'n llyncu gweddill y dŵr. Sudda i waelod fy mol fel pe bai yn mynd drwy sbwng a gallaf ei deimlo yno'n oer ac yn drwm—ond o leia mae'n fodlon aros yno am y tro.

Busnes blêr ydi rhyfel—yn llythrennol felly. Gerddi cymen wedi'u troi'n domennydd sgrap, pyllau o olew ar y ffordd, cesys dillad ar chwâl dros bob man. Cyrff.

Yn sydyn, dwi fel gwyfyn yn erbyn golau sy'n ffrwydro y tu ôl imi. Yn fy nhwymyn ni chlywais sŵn y cerbyd yn dynesu.

'Stop! Stop!'

Dwi eisoes yn stond fel cwningen o flaen gwiber. Yn y golau gwelaf amlinelliad helmedau ac yna, dwi ar fy wyneb yn y llwch, wedi fy llorio gan ergyd cyff reiffl.

'O le wyt ti'n dod?'

Dwi'n enwi'r ardal.

Grwndi anniddig ymhlith y milwyr. Mae'r gwrthryfelwyr yn drwch yn y fro o gwmpas fy 'nghartre. Rhaid mai un ohonyn nhw ydw i. Maen nhw'n dechrau dadlau a ddylen nhw fy saethu yn y man a'r lle.

Wrth glywed hyn mae'r brandi yn fy stumog yn rhewi a'i oerni fel pe bai'n lledu drwydda i.

Yna, clywaf lais dwi'n ei led-nabod yn esbonio mai dyn dŵad i'r cylch ydw i ac nad ydw i'n un o'r gwrthryfelwyr. Yn y gola cryf dwi'n methu gweld pwy sydd yno.

Mae'n sefyll yn afreal o hyd. Yn sydyn, mae'r syniad o gael fy nienyddio'n fy nharo, ac er fy ngwaetha dwi'n teimlo gwên yn lledu dros fy ngwep.

Mae'r milwyr yn amheus ohona i o hyd, ond does dim rhagor o sôn am fy saethu.

'Dwi eisio mynd adre . . . Rhaid imi ddyfrio'r llysiau . . .' Prin dwi'n nabod fy llais. Dwi'n crawcian fatha chigfran.

Ar ôl ystyried f'achos yn hir, maen nhw'n penderfynu nad oes ganddyn nhw wrthwynebiad i'm cais am bàs adra. Maen nhw'n fy ngwthio i gefn y lorri. Mae'n amlwg eu bod wedi'u siomi.

Dwi'n gweld rŵan pwy fu'n eiriol drosta i. Hogyn ifanc oedd yn helpu acw y llynedd. Mae o'n methu cwrdd â'm llygaid. Dwi'n gwbod bod ei frawd o hefo'r gwrthryfelwyr. Brawd yn erbyn brawd; cymydog yn erbyn cymydog—ymddiriedaeth a chydweithrediad cymunedau'n breuo ac yn dadgordeddu dros nos.

Ryden ni'n gorfod stopio ddwywaith i glirio ffrwydron o'r ffordd. Ond o'r diwedd ryden ni'n cyrraedd gwaelod y lôn sy'n arwain at fy nghartre.

'Mi gei di lonydd rŵan,' bloeddia'r pennaeth wrth i'r lorri gychwyn ar ei ffordd i'r pentre nesa. ''Den ni wedi deifio tinau'r diawliaid ffor' hyn iti.'

Tasen nhw'n gwbod â phwy dwi'n briod, peryg y basen nhw'n torri arna i yn y fan a'r lle.

Mae'r lorri yn diflannu dros y clip ac yna, ceir tawelwch. Tawelwch ffrwydrol bron. Mae hyd yn oed y *cicadas* wedi distewi dros dro. Dwi'n pwyso yn erbyn y cilbost, fy nhalcen yn einion eirias i ordd cawr o gur pen; cryna fy nghoesa wrth gofio fy nihangfa gael a chael; er, does dim ofn arna i fel y cyfryw—pryderu am y llysia ydw i'n anad dim.

Yn ara deg, gostega'r anadlu trwm ac mae'r cur yn pylu ryw ychydig a dwi'n dechrau ymddolennu i fyny'r wtra serth o 'mlaen at 'y nghartre. Dwi'n teimlo'n well, er 'mod i'n benysgafn o hyd. Mae awel braf yn oeri fy nhalcen.

Hanner y ffordd i fyny'r lôn, dwi'n dod o hyd i'r corff cyntaf. Is-ringyll o'r fyddin, dyn barfog yn ei bedwardegau cynnar. Gorwedda'i goesau tua metr oddi wrtho lle y'u chwythwyd gan y grenâd—y litrau o waed a lifasai o'r bonion wedi'u hamsugno i'r ddaear gras o'i gwmpas gan adael staen tywyll yng ngolau'r lleuad. Mae llygaid yr is-ringyll ar agor ac fe sylla arna i'n rhynllyd. Fel arfer, mi fydda i'n ei chael hi'n anodd edrych i fyw llygad rhywun—ond dydi'r llygaid marw 'ma ddim yn codi dim cywilydd arna i.

Wrth gerdded ymlaen, gwelaf gorff arall y tu ôl i'r clawdd, ond dwi'n mynd heibio iddo. Mae oglau llosg ar y gwynt yn gymysg ag ogla'r meirw. Wrth ddod yn nes at y buarth, gwelaf fod un o'r tai allan wedi'i losgi'n ulw ac mae mwg glas yn dal i ymdroelli o'r marwydos.

Ond, hyd y galla i weld, y mae'r tŷ'n edrych fel pe bai heb ei ddifrodi. Mae un cwarel wedi'i falu yn un o'r ffenestri ar yr ail lawr—llofft y mab. Ond dwi ddim yn poeni am y tŷ nac am fy mab ar y funud; y llysiau sy'n 'y mhoeni, rhoi dŵr i'r llysiau. Dyma'r unig syniad sy'n llosgi yn fy mhen, fel y syched sy'n llosgi yn fy ngwddf.

Dŵr a daniodd y goelcerth. Gaeafau sych am dair blynedd. Dŵr yr argaeau'n mynd i lenwi pyllau nofio a dyfrio gerddi'r teuluoedd mawr a'r ffermwyr cefnog yn y dyffryn tra bo gwartheg a chnydau pobl y mynyddoedd yn darfod. Buon nhw'n ymbil am bibell ddŵr newydd, ond roedd yn well gan yr awdurdodau bwmpio'r dŵr i'r gwestai crand ar gyfer yr Almaenwyr a'r Americanwyr ar yr arfordir, iddyn nhw gael rhew yn eu wisgi a chawod bob nos i olchi sawr godineb oddi ar eu cyrff.

Achos mae 'na ddŵr yn y mynyddoedd 'ma. Ugain mlynedd yn ôl, aethon ni heb law am saith mis ac rwy'n cofio, roedd pistyll y pentre lle ces i fy magu'n ffrydio'n loyw yr holl amser. Mam a'm chwaer yn gorfod cario pob diferyn i'r tŷ. Darbodaeth orfodol. Ond erbyn hyn mae'r lefel trwythiad wedi syrthio.

Dwi'n iawn yma. Mae gen i ffynnon, hen dwll turio dwfn yn y cae y tu ôl i'r tŷ a'r dŵr yn goferu ohono o hyd. Dyna pam prynais i'r lle . . .

Wrth wal y winllan mae saith o gyrff mewn rhes, eu dwylo wedi'u clymu y tu ôl i'w cefnau. Mae un ohonyn nhw tua deuddeg oed. Dwi'n nabod un o'r lleill hefyd. Mae o'n perthyn o bell i deulu fy ngwraig. Hyd yn oed tasa 'na ddim prinder, basa'r ddwy ochr yn dal i ffeindio esgus i ladd ei gilydd ymhen hir neu hwyr. Pobl felly yden ni. Dyna ein tynged.

Diawl! Tasa'r hogia 'ma'n byw rŵan, mi fedsen nhw helpu hefo'r dyfrio. Mae yna lot o waith i'w wneud.

Mae'r stangiau lle y tyfir y llysiau'n dod i'r golwg. Hyd y galla i farnu maen nhw wedi dianc rhag y brwydro. Mae'r fframiau a'r cêns yn dal i sefyll. Mae hyd yn oed y pibellau dŵr sy'n gweu drwyddynt yn edrych yn gyfa. Mae fy nghalon yn llonni drwyddi. Mi wna i droi'r dŵr ymlaen a bydd popeth yn iawn. Bydd fy nhir yn glasu a'r ffrwythau'n aeddfedu. Daw'r plant yn ôl; daw'r rhyfel i ben; daw glawogydd yr hydref. Ond ddôn nhw ddim os nad ydw i'n dyfrio'n syth.

Ond mae injan y pwmp dŵr wedi'i ridyllu â bwledi. Bydd yn rhaid imi droi'r olwyn â llaw. Mae'r olwyn yn slic lle mae olew o'r injan wedi tywallt drosti, ond mae'n troi. Mae'r pibellau'n crynu a'r aer yn cnecian drwyddynt. Mae'r olwyn yn teimlo'n rhyfedd. Dydi'r pwysedd ddim yn iawn. Does dim dŵr yn dod.

Dwi'n hyrddio fy hun at ochr y tanc metel sy'n

amgylchynu'r ffynnon. Mae'r caead pren sy'n arfer gorchuddio'r dŵr wedi'i dorri. Ar flaenau fy nhraed, dwi'n sbecian dros yr ochr. Mi fedra i weld fod yna gorff wedi suddo i waelod y tanc ac yn blocio'r allfa i'r pwmp.

Dwi'n rhedeg yr ochr draw i'r tanc lle mae yna ystol a bilwg. Dwi'n rhoi'r ystol yn erbyn y tanc ac yn ei dringo hyd at y ffon ucha ond un. Dwi'n ceisio symud y corff gyda'r bilwg, ond heb effaith. Mae'n amlwg fod pac trwm ar gefn y milwr sy'n ei ddal i lawr. Does dim amdani ond neidio i mewn ato. Mae'r dŵr yn llugoer ond yn oerach tua'r gwaelod wrth y tardd.

Mae'r corff yn rhy drwm imi o hyd, ac felly dwi'n dowcio o dan y dŵr ac yn chwilio am fidog y milwr. Am eiliad mae'n bysedd yn cwrdd ac mae popeth yn real ac yn erchyll, ond yna, mae'r gyllell yn fy llaw a dwi'n torri drwy strapiau'i bac, ac mae'r corff yn dechrau codi i'r wyneb. Rywsut mae'i freichiau wedi cau am fy ngwddf ac 'den ni'n dau'n torri arwyneb y dŵr, finnau dan beswch, yntau'n ddiachwyn, yn cofleidio'n gilydd i ddathlu ein llwyddiant.

Mae o'n rhy drwm imi'i symud o allan o'r tanc, ond dwi wedi clirio'r allfa—y peth pwysica ydi cael y dŵr i redeg. Mae'r wawr ar dorri, rhaid imi frysio neu bydd y dail gwlyb yn deifio yn yr haul. Dwi'n gwthio'r baich o'r neilltu ac yn dringo o'r tanc.

Dwi wedi ymlâdd ac mae'n cymryd fy holl nerth i'm tynnu fy hun dros yr ochr. Dwi'n hanner llithro, hanner cropian yn ôl at olwyn y pwmp ac yn dechrau'i throi, fy nwylo'n llithro ar y metel.

Mae pelydrau cyntaf yr haul yn gruddio'r awyr i'r

dwyrain wrth i'r pibellau grynu a chnecian am yr eildro. Y tro yma y mae'r dŵr yn llifo, yn felyngoch yn ngolau'r wawr.

Dwi'n troi at y milwr sy'n plygu dros ymyl y tanc dŵr uwch fy mhen. Dwi'n cyhoeddi fy muddugoliaeth.

'Bydd popeth yn iawn, rŵan, gei di weld.'

Ond does ganddo ddim i'w ddweud; does ganddo ddim wyneb ac mae'i waed yn syrthio fel glaw ar ben fy ngardd.

Y Blwch Difyrion

BU'R darganfyddiad cyntaf yn dipyn o sioc iddi a dweud y gwir. Yn sicr, doedd pecyn mawr o gondoms amryliw o Siapan ddim ymhlith yr eitemau roedd Ann wedi disgwyl cael hyd iddynt wrth glirio'r tŷ.

Doedd dim modd camgymryd cynnwys y blwch. Ar y tu allan roedd yna gartŵn lliwgar yn dangos *geisha* fach welw â'i choesau am glustiau'r *mikado* porthiannus 'ma mewn *kimono* gynffon-fain gyda gwên fuddugoliaethus ar ei wyneb.

Heb wybod yn iawn sut i ymateb, eisteddodd Ann ar erchwyn y gwely ac edrych yn syn ar y bocs yn ei llaw. O'r diwedd, fe'i hagorodd. Un dyn bach oedd ar ôl lle gynt bu ugain. Tynnodd yr amlen ffoil allan o'r pecyn a'i fyseddu'n fyfyriol. Roedd yr hir ymaros yn y bocs wedi peri i'r ffoil grimpio a melynu ac roedd y cynnwys wedi dechrau chwysu'n seimllyd.

Gollyngodd Ann yr amlen yn ôl i'r pecyn a sychu'i bysedd ar y gwrthban. Fe'i ffroenodd a chrychu'i thrwyn; roedd yr oglau'n gryf ac erbyn hyn roedd fel pe bai'n llenwi'r ystafell.

Er bod ei bodolaeth ei hun yn tystio i'r ffaith fod ei rhieni wedi cael cyfathrach rywiol o leiaf unwaith yn ystod yr holl flynyddoedd y buont yn briod, roedd Ann yn ei chael hi'n anodd dychmygu y buasent yn dymuno cyflawni'r weithred fwy nag unwaith—dim gyda'i gilydd beth bynnag—heb sôn am bedair ar bymtheg o weithiau yn ôl cyfrif y bocs.

Roedd y syniad yn groes i bob protocol teuluol rywsut—fel dal eich cyllell yn y ffordd anghywir neu chwalu halen dros eich bwyd i gyd yn lle'i bentyrru ar ochr eich plât fel y gwnâi'r bobl orau, chwedl ei mam.

Fflachiodd delweddau drwy lun ei meddwl o'i mam a'i thad wrthi'n wtresu yn y gwely mawr Fictorianaidd yma, yr ystafell yn atseinio i'r synau bach rhyfedd 'na sy'n nodweddu cypladu dynol; roedd y delweddau'n arallfydol rywsut ac yn aflonyddu arni braidd.

Taflodd y pecyn i'r bag sbwriel du, ac er gwaetha'r ias anghynnes a ddaliai i donni drwyddi, aeth yn ôl at y dasg mewn llaw.

Doedd dim byd yn Fictorianaidd na chysetlyd am Ann, cofiwch, ac ar ôl tipyn, daeth i weld yr ochr ddoniol i'w darganfyddiad.

Doedd yna ddim cymaint â hynny o ddirgelwch ynglŷn â sut y bu i gyfarpar ecsotig o'r fath gyrraedd aelwyd mor syber â hon. Capten llong fuasai'i thad, ac erstalwm byddai'i mam a hi'n mynd gydag ef ar rai o'i fordeithiau. Bu llong ei thad yn ymweld â Siapan sawl gwaith—y tro cyntaf pan oedd Ann tua naw oed—ei mordaith gyntaf fel mae'n digwydd.

Brithgof oedd ganddi o'r daith, ond cofiai gyda gwên yr holl hwyl a miri a gafwyd wrth groesi'r cyhydedd, gyda phennau'r rhai oedd yn ei groesi am y tro cyntaf yn cael eu siafio. Roedd un o'r criw wedi bygwth eillio pen gwraig y capten, a chwarddodd Ann yn uchel wrth gofio'r olwg frawychus a ddaethai i wyneb ei mam wrth i'r dyn, a oedd wedi gwisgo fel *witch doctor* du, gyda sebon siafio'n ewynnu am ei weflau, chwifio'i rasel o dan ei thrwyn.

Roedd ei thad wedi sefyll yno, a'i geg yn lled agored, ei ddannedd yn y golwg, er nad oedd yn glir a oedd yn gwenu ynteu ar fin dweud y drefn. Am ychydig, roedd fel pe bai'i swyddogaeth fel meistr y llong yn hongian mewn limbo wrth iddo asesu'r posibiliadau o'i flaen.

Yr Ail Swyddog, Eric Flint, a gamodd i'r fei gan gydio ym mhenelin mam Ann a sefyll rhyngddi â'r eilliwr. Roedd yn gwenu'n ddigon clên ond synhwyrodd y llongwr arall na ddylai fynd ymhellach gyda'i ddwli neu fe fyddai yna helynt.

Hoffai Ann yr Ail Swyddog. Byddai bob amser yn adrodd storïau difyr wrthi am y môr a'r holl wledydd yr oedd wedi ymweld â nhw. Pan aent i'r lan yn ystod y mordeithiau ar long ei thad, Eric fyddai'n hebrwng ei mam a hithau o gwmpas y porthladd neu ar unrhyw ymweliadau. Yn anaml y deuai'i thad gyda nhw. Roedd mam Ann yn hoff iawn o Eric hefyd. Roedd hi fel pe bai'n ymlacio'n llwyr yn ei gwmni, ond pan fyddai yng nghwmni'i gŵr, byddai rywsut yn ei dal ei hun fel pe bai brws cans wedi'i sodro i fyny'i phen ôl.

Roedd Ann yn dal i wenu a hel atgofion digon pleserus am fordeithiau'i phlentyndod pan adawodd y llofft a mynd i lawr y grisiau i glirio stydi'i thad.

Roedd y dyn manwl wedi hwyluso tasg y clirio cryn dipyn iddi. Roedd popeth wedi'i labelu'n ofalus: biliau trydan, yswiriant y car, cyfranddaliadau *Imperial Tobacco,* hen dystysgrifau morwrol.

Teimlai Ann ei llygaid yn llenwi, nid cymaint oherwydd hiraeth, ond oherwydd y trefnusrwydd poenus; roedd yn union fel pe bai'r hen foi wedi bod yn paratoi ar gyfer y diwrnod yma drwy gydol ei fywyd.

Doedd Ann a'i thad ddim yn arbennig o agos—hynny yw, doedd Ann erioed wedi llwyddo i glosio ato, ond gwyddai'n iawn iddi hi fod yn gannwyll ei lygad yntau ar hyd y blynyddoedd, ac y buasai wedi rhoi'i law yn y tân pe buasai gweithred o'r fath wedi bod o les i'w ferch.

Doedd Ann ddim yn debyg iawn i'w thad o ran pryd na gwedd na gweflau chwaith—er ei bod yn debycach iddo ef, efallai, nag i'w mam. Roedd ei mam yn fenyw drawiadol iawn ac yn anffodus doedd Ann ddim fel pe bai wedi etifeddu dim o'u harddwch. Un heglog oedd hi pan oedd yn iau, fel crëyr glas, a'i gên yn ymwthio o'i blaen yn rhyfedd. Pan redai byddai'i breichiau'n codi bob ochr iddi fel adain.

Wrth brifio roedd ei chorff wedi setlo i lawr ac er ei bod yn dal yn ymwybodol o'i thaldra a salwedd ei hwyneb, roedd hi wedi colli'r osgo heglog a fu'n gymaint o boen iddi'n blentyn.

Roedd Ann yn barod i gau pen y mwdwl. Wrth i lwydnos y gaeaf huddo o gwmpas tai crand y faestref, dechreuodd flino ar y gwaith didoli. Ar y dechrau roedd hi wedi cael blas ar bori ymysg hen ffotograffau ac adroddiadau ysgol, ond dair awr yn ddiweddarach roedd yn prysur ddiflasu. Byddai'n ei throi hi cyn bo hir.

Roedd llawer iawn o'r amlenni manila yn mynd yn syth i'r sach sbwriel erbyn hyn. Doedd dim rhaid iddi ond darllen yr ysgrifen dwt ar y label i wybod a oedd y cynnwys yn werth ei gadw ai peidio.

Yr amlen olaf yn nrôr gwaelod y ddesg oedd yn ei dwylo. Amlen heb label, a bu bron iddi'i thaflu heb sbïo ar y cynnwys, gan fod gweddill y papurach a fu yn y drôr yma yn bethau hollol ddibwys. Ond petrusodd am eiliad a thynnu'r papurau allan er mwyn bwrw cipolwg digon difater drostynt.

Yn y pellter clywodd gorn llong yn malwodi'i ffordd drwy'r niwl ar afon Merswy tua'r porthladd.

I ddechrau teimlai Ann ei bod yn darllen y papurau beniwaered, neu eu bod mewn iaith estron a chanddi wyddor wahanol. Cymerodd dipyn o amser cyn i'w phrosesau ymenyddol ddechrau treulio a chymathu'r ffeithiau a ddatgelwyd gan y dogfennau. Ond, yn sydyn, deallodd Ann mai amdani hi yr oedd y papurau'n sôn . . .

'Ti sydd yno, Ann?' meddai'r llais wrth iddi gau'r drws yn glep.

Nid atebodd Ann ond cerddodd i mewn i'r ystafell fyw gyfyng lle eisteddai'i mam o flaen y teledu yn ei chadair olwyn.

'Sut aeth hi, cariad?' gofynnodd gan ymestyn ei llaw i gydio ym mraich ei merch wrth iddi ddod yn nes. Ond tynnodd Ann ei llawes yn rhydd gan ymestyn heibio i'w mam i ddiffodd y teledu.

'Be sy'?' gofynnodd, ei llygaid llydain, prydferth yn llawn ofn.

Edrychodd Ann arni am ychydig heb ddweud dim, ei cheg yn dechrau siapio rhyw fath o ymateb ac yna'n ymatal drachefn. Roedd dicter Ann wedi cyrraedd pen llanw ers meityn ac erbyn hyn roedd wedi dechrau treio a phenderfynodd ffrwyno'i theimladau gorau y gallai.

Doedd ganddi ddim awydd brifo'r ddynes yma, er gwaetha'r sgytwad roedd newydd ei gael, er gwaethaf breuder cyffredinol eu perthynas; roedd hon wedi cael digon o loes yn barod.

'Dim byd, mam . . . Dwi wedi cael tipyn o sioc. Dyna i gyd.'

'Beth? Yn y tŷ?'

'Ia.'

'Chwarae teg iti. Hen jobyn diflas. Mi ddylset ti fod wedi mynd â rhywun hefo chdi. Dydy o ddim yn iawn i ferch orfod wynebu rhywbeth fel 'na ar ei phen ei hun. Mi gynigiais i fynd hefo chdi—yn do?'

'Do . . .' Roedd hi ar fin dweud y gair Mam eto, ond newidiodd ei meddwl. Ac yna, fe'i clywodd ei hun mewn llais a adwaenai fel ei llais ei hun ond a deimlai fel pe bai'n dod o ryw wagle anghysbell y tu hwnt i furiau'r tŷ:

'Pam na wnaethoch chi na Dada erioed ddweud wrtha i fy mod i wedi fy mabwysiadu?'

Am ennyd, crynodd gwefusau ei mam, ac yna, mewn amrantiad, fe'u pletiodd yn gadarn.

'Does gen i ddim byd i'w ddweud ar y mater,' meddai'n chwyrn rhwng ei dannedd, styfnigrwydd cynhenid yn ei meddiannu'n llwyr.

Yna, llaciodd y rheolaeth. Trodd ei phen mewn embaras a ffwndrodd gyda theclyn rheoli'r teledu. Gwasgodd y botwm anghywir fel bod y teledu'n aildanio a'r sain yn bloeddio i'r entrychion. Cythrodd Ann am y rheolydd yn llaw ei mam. Tynhaodd ei mam ei gafael ynddo fel pe bai'i bywyd yn dibynnu arno ac aeth y teclyn i'r llawr.

THE MIST WILL CLEAR GIVING WAY TO A RATHER FROSTY NIGHT OVER MOST OF THE COUNTRY . . .

O'r diwedd llwyddodd Ann i gydio yn y rheolydd a diffodd y set drachefn.

'Dwi eisiau gweld y tywydd . . .' cwynodd ei mam mewn ymdrech druenus i adennill y sefyllfa.

'Pam? 'Dach **chi** ddim yn mynd i 'nunlle fel 'na, nag ydach?' meddai Ann yn sbeitlyd braf.

Roedd y gwenwyn yn tasgu rŵan. Y cadoediad bregus a ddaethai i rym yn sgil y ddamwain a laddodd ei thad ac a adawodd ei mam yn gaeth i gadair olwyn yn dechrau dadfeilio a'r hen elyniaeth yn brigo'n fwy chwerw nag erioed.

Ddywedodd ei mam yr un gair, dim ond syllu ar sgrin fud y bocs fel pe bai'n ewyllysio iddi ddod yn fyw drachefn ac i sŵn ei sebon a'i hysbysebion foddi'r realiti hyll a gronnai o'i chwmpas.

'Ro'n i wedi amau,' meddai Ann, 'ond 'mod i'n ormod o gachgi i ystyried be allai fod yn wir.'

'Amau? Sut?' roedd yr oslef yn watwarus bron.

'Iesu bach, ddynes. Sbiwch arna i. Ro'n i wastad yn methu deall pam 'mod i'n gymaint o sbinwch i edrych arna i, a chitha mor . . . brydweddol.' Prydferth oedd y gair ar flaen ei thafod, ond doedd hi ddim am ddweud hynny.

Trodd Ann yn ddiamynedd gan ddal ei llun yn y drych uwchben y silff-ben-tân.

Hen grachen ludw o wyneb oedd ganddi hefyd, meddyliodd. Sbia mewn difri. Rhyw wep ddi-lun fatha tysen, wedi'i rhychio fel clogwyn a hithau heb gyrraedd ei phump ar hugain eto, dannedd caseg wedd a gên fel swch. Yr ên na phyla amser, chwedl Wncwl Bob Amlwch.

Daliai i weld tebygrwydd i'w thad yn yr wyneb hefyd, ond felly gwelwch hefo plant mabwysiedig weithiau. Syllai'n hir ar y llun o'i blaen nes ei fod yn ymddangos yn hollol ddiarth iddi a phob rhithyn o debygrwydd tybiedig wedi diflannu. Yna, am y tro cyntaf ers darllen y dogfennau yn y tŷ, daeth y cwestiwn i'w meddwl, wel, merch pwy ydw i, ta? Neu, jest pwy ydw i?

Yn y drych, gwelai rith o wyneb a adwaenai fel Ann Parry-Evans, merch Capten Hywel Parry-Evans a'i wraig, Nansi Parry-Evans. Roedd yr Ann Parry-Evans yn y drych yn gynnyrch bywyd dosbarth canol cyfforddus, wedi'i haddysgu mewn ysgolion preifat; merch a wyddai sut i ddal ei chyllell yn iawn a lle i roi'i halen. Roedd yr Ann honno wedi dysgu canu'r soddgrwth ac ni feddyliai ddwywaith wrth wario trigain punt ar bâr o sgidiau. Ond pwy oedd yr Ann arall, tybed? Os Ann, yntê? Tybed a fu ganddi erioed enw arall? Simone neu Samantha neu Glenys neu Gweneira. Pwy a fuasai hi wedi bod pe bai'i mam go-iawn wedi'i chadw? Yn blentyn i ryw sgali neu slwt ddiofal, ddiaddysg o Kirby neu rywle tebyg, siŵr o fod.

Roedd y syniad yn ei dychryn ac yn ei gwefreiddio.

Eisoes roedd y llinynnau a'i cysylltai â'i gorffennol fel Ann Parry-Evans yn dechrau datod. Roedd fel pe bai'n cerdded ar ben clogwyn a'r môr yn erydu'r llwybr y tu ôl iddi nes iddo friwsioni'n ddim byd i'r tonnau islaw.

Aeth y wyneb yn y drych yn aneglur.

Ond daliai i weld wyneb ei mam yn y cefndir, ei harddwch clasurol, heb ei gyffwrdd gan na henaint na gofid. Talcen uchel, urddasol, llygaid llwydion fel pyllau o hiraeth. Ond roedd ei gwefusau tenau, yn llinyn diedifar o dan ei thrwyn, yn peri iddi edrych yn sarrug ac yn annedwydd.

Am ychydig, bu tawelwch rhwng y ddwy. Ann yn syllu i'r drych a'i mam yn syllu ar fudandod y sgrin.

Roedd Ann ar fin cerdded o'r ystafell, cerdded i'r nos i gael meddwl, i gael ail-lunio realiti'i bywyd, pan siaradodd yr hen ddynes eto . . .

'Dy dad oedd yn methu . . . Roedd yn dwlu cymaint arnat ti, roedd yn ofni y baset ti'n ymddieithrio neu'n troi yn ei erbyn taset ti'n cael gwybod y gwir . . . Roedd yn mynd i ddweud wrthat ti pan oeddet ti'n ddeg; yna, pan oeddet ti'n dair-ar-ddeg, yn bymtheg, yn ddeunaw, yn un-ar-hugain, ac yna, roedd yn rhy hwyr, 'doedd?'

Ystyriodd Ann. Yna, trodd at y ddynes hŷn mewn penbleth.

'Be 'dach chi'n feddwl, mam?' holodd Ann yn betrusgar, gan arfer y gair mam heb sylweddoli. 'Bod Dada'n methu deud wrtha i . . . ynteu'i fod o'n methu cael plant?'

'Methu cael plant. Cafodd o brofion . . . Rhyw

salwch gafodd o pan oedd o hefo'r llong yn Affrica, medden nhw.'

Saethodd meddwl Ann yn ôl i'w darganfyddiad cyntaf y prynhawn hwnnw. Doedd y peth ddim yn gwneud synnwyr . . . Gêr atal cenhedlu? Ond os oedd ei thad yn . . .

Yna, cofiodd mai yn y cabinet bach yr oedd wedi cael hyd i'r pecyn—ochr ei mam i'r gwely . . .

L'Acte gratuite

ROEDD yna lawer iawn o ddu ac aur ym mhobman, sylwodd Marcus. Llithrai'r weinyddes benfelen yn ei blowsen wen, sgert ddu gwta a ffedog wen ar draws yr ystafell fel rhyw gelficyn symudol.

'Mi gysgoch chi.' Nid cwestiwn oedd o, ond teimlai Marcus fod Bevan yn disgwyl ateb.

'Do.'

Roedd ei geg yn sych a rhygnai'r gair yn anhyglyw dros ei enau. Llyncodd yn galed ac ailadroddodd ei ateb:

'Do.'

'Do, siŵr.' Llais fel neidr yn diflannu drwy gwlfert. Doedd Marcus ddim wedi gweld ei wely tan bedwar ac roedd wedi cysgu rownd y cloc. Roedd hi bellach tua chwech ac roedd eisiau bwyd arno.

Tywalltodd yr eurben goffi du i gwpan wen y cobra dynol yn ei lechfan y tu ôl i'r ddesg eboni. Ni chynigiwyd dim i Marcus.

'Sonioch chi neithiwr fod gennych chi broblem. Pa fath o broblem?'

Roedd y ddwy frawddeg wedi rhedeg yn un; y gosodiad a'r cwestiwn yn ymdoddi fel bron na sylweddolodd Marcus fod cwestiwn yn cael ei ofyn.

'Problem gyda rhai o berchenogion y doc . . .

Rhai'n unig, cofiwch.' Bygythiai rhyw ffalseto gwirion droi'i araith yn drydar bachgennaidd.

Roedd trwyn Bevan yn ei gwpan goffi. Fflicrodd ei lygaid am ennyd ond nid edrychai ar Marcus. Rhoes y gwpan i lawr ar y soser a sylwodd Marcus ar y fodrwy jet ar y bys main. Tynnai'r llall ar y fodrwy wrth siarad.

'Sdim ots beth yw maint y broblem, nag oes? Os nad ydyn nhw'n talu mi wyddoch chi'n iawn beth i'w wneud.'

'Roeddwn i'n meddwl y basech chi eisiau gwybod cyn imi weithredu . . .' Corsen unig o lais.

'O, Marcus,' suai'r cobra'i siom. 'Ers faint 'dach chi hefo fi erbyn hyn?'

'Ers diwedd y nawdegau . . .'

'Yn union. Felly 'dach chi'n gwybod yn well, yn dydach? Dwi ddim eisiau eich gweld chi yma eto eleni yn sôn am y broblem yma, dalltwch. Da iawn.'

Roedd y geiriau fel slic olew yn ymledu'n orchudd cleiog am ei glustiau. Iesu, faint oedd o wedi yfed neithiwr, d'wad?

Ac yna, roedd y weinyddes yn dangos y drws iddo. Yn sydyn, nabyddodd Marcus hi fel yr *artiste* erotig yn y sioe a lwyfannwyd ar ôl cinio'r noson gynt. Sbloet afradus, fasweddus; perchentyaeth beryglus arferol Bevan wrth groesawu'i weision ffyddlon i'w ffau.

Roedd hi'n edrych yn hŷn yn agos ati, meddyliodd Marcus, a chroen ei gwddf fel rhisgl coed.

Gwelodd hithau fod Marcus yn llygadu coronau aur ei dannedd blaen a gwnaeth ystum brathu anniddig. Roedd oglau henaint ar ei hanadl.

'Buon viaggio,' meddai gan gau'r drws derw'n dyner derfynol y tu ôl iddo.

Dudew nos a'i hwynebai.

Doedd neb yn teithio gyda'r nos bellach—dim ond y Sgarthiaid ar eu perwyl ysgeler arferol. Gofyn amdani oedd teithio gyda'r nos mor bell â hyn i'r gorllewin o Lundain. Roedd o wedi gobeithio y câi aros tan fore trannoeth ond roedd yn amlwg ei fod wedi tramgwyddo'r meistr.

Byddai perswadio'r Heddlu i agor y tollbyrth a'r atalfeydd yn siŵr o gostio'n ddrud iddo. Roedd hi'n dechrau bwrw glaw hefyd.

Llithrodd drws cerbyd Marcus ar agor yn ddi-sŵn wrth iddo ddynesu ato. Fe'i daliodd ar agor am ychydig ar ôl mynd i'w sedd. Am ennyd bu'n syllu ar amlinelliad gothig y plas yn erbyn llewyrch y goleuadau diogelwch.

Doedd o chwaith ddim yn gwbod pam ei fod wedi rhedeg at Bevan. Beth oedd y meddalwch a'r ansicrwydd anesboniadwy a oedd wedi dechrau'i blagio'n ddiweddar? Gweithredwr fu Marcus erioed. Roedd pawb yn gwbod hynny.

Rhyddhaodd y drws a throi at y radio i ofyn caniatâd yr Heddlu ar Bont Hafren i gychwyn ar ei daith.

Yn y diwedd, ni fu'r daith mor ddrud nac anodd ag y tybiasai; roedd enw Bevan yn ddigon. Cedwid pob giât ar agor iddo—heb gildwrn. Wedi'r cwbl, roedd pob cop ffor' hyn ym mhawen barwn y plas. A chedwid y Sgarthiaid yn eu ffeuau hwythau gan y glaw trwm.

Galwodd Marcus Vanji ar y fideoffôn tua chwech.

'Helô,' meddai'i llais ond doedd dim llun.

'Fi sy 'ma. Marcus.' Dim llun o hyd.

'Ty'd ymlaen, Vanji. Dangos dy wep,' mynnodd yn ddiamynedd.

Goleuodd y sgrin i ddangos menyw ifanc brydferth yn noeth at ei chanol.

'Ro'n i ar fin mynd i'r gawod,' meddai braidd yn swta. 'Dwi'n mynd allan.'

'Dwyt ti ddim yn mynd i'r Gath Ddu heno, nag wyt?'

Crychodd ei thalcen a chrafodd un o'i bronnau'n ddifeddwl.

'Be di'r cachu 'ma. Mi wyddost ti'n iawn lle dwi'n mynd. Mi ddeudais i wrthat ti ddydd Llun. Dwi'n gwarchod i Greta heno. Ti'n dechrau drysu yn dy henaint.'

'Dim ond y corff 'na sy'n fy nrysu fi,' meddai Marcus yn drwsgwl.

Trodd y crafu'n fwytho awgrymog.

Rhythai Marcus gan lyncu'n galed.

'Yli, Vanji, rhaid imi siarad yn gall hefo chdi . . .'

Ataliodd y fenyw ei llaw gan ymestyn am banel rheoli'r ffôn. Newidiodd y llun fel nad oedd ond ei phen a'i hysgwyddau i'w gweld.

'Lle wyt ti arni heno, te?' gofynnodd o'r diwedd gan daflu cipolwg dros ei hysgwydd tua'r gawod. 'Yn hel budr-elw Mr Coc-yn-nhin-y-gath Bevan fel arfer, ia?'

Gwingodd Marcus. Doedd yr un ffôn yn saff.

Chwarddodd y ferch pan welodd yr ofn yn tonni dros ei wyneb. Yna, taflodd gipolwg dros ei hysgwydd drachefn.

'Reit, dwi'n mynd am y gawod 'na.'

Llond sgrin o eira gwyn.

'Vanji . . .'

Diffoddodd Marcus y ffôn, rhic arall o ansicrwydd wedi'i nodi yn ei ben.

Parciodd y car ger yr hen theatr. Roedd yna Sgarthiaid yn sgwatio yn yr adeilad, eu presenoldeb yn cael ei fradychu gan rimyn tenau o olau wrth odre un o'r parwydydd pren a orchuddiai'r ffenestri rhwth. Uwchben y ffasâd neo-glasurol, roedd olion machlud difraw'n rhuddo'r gwyll.

Byddai'r Heddlu'n archwilio pawb a âi i ardal y dociau. Roedd yn rhaid pasio drwy gatiau diogelwch praff o dan lifoleuadau a detector metel, ac yna, roedd pawb yn cael eu harchwilio drachefn yn ogystal â chael sgan HIV gorfodol wrth fynedfa'r Gath Ddu ei hun. Ond roedd yna ffordd i fynd at gefn y clwb drwy'r theatr.

Trydanodd Marcus glo'r cerbyd. Sioc a allai fod yn angheuol i'r neb a geisiai ymyrryd ag o. Anghyfreithlon, annynol ond effeithiol.

Ni thrawyd Marcus gan yr anghysondeb.

Roedd goblygiadau'r weithred roedd ar fin ei chyflawni'n pwyso'n drwm arno, fel diffyg traul difrifol. Roedd difa'r holl bobl ddiniwed 'na yn y Gath Ddu a oedd wrthi y funud yma'n snortio, yn yfed neu'n boncio'n ddiddig braf ym mwrlwm a chyffro ifanc un o gyrchfannau mwyaf poblogaidd y dociau'n wallgofrwydd yn nhyb Marcus. Wnelo pum can ECU Prydeinig, roedd y peth yn hollol wrthgynhyrchiol. Mae'n rhaid bod Bevan yn dechrau colli'i farblis.

Eto byddai darganfod Sgarthyn bach crimp yn

mudlosgi wrth ei gar yn mennu dim arno—yn wir, byddai'n destun cryn foddhad ac yn stori ddifyr i'w hailadrodd dros beint yn y clybiau.

Roedd Marcus wedi lladd yn gyson er pan oedd yn bymtheg oed. Fesul un, fesul dau, fesul deg unwaith. Doedd o ddim wedi colli cwsg dros yr un ohonynt—ond bu busnes y Gath Ddu'n wahanol. Teimlai'n lletchwith iawn am y peth. Falla oherwydd bod Vanji'n mynd yno weithiau.

Roedd y ddyfais dwt a gariai yn ei boced yn un andros o filain a nerthol. Wrth ffrwydro, byddai'n creu gwres fel ffwrnais a phelen o dân difaol. Dim ond pentwr o rwbel a chyrff llosg, maluriedig fyddai'n dynodi safle'r clwb ymhen yr awr.

Roedd mudandod esmwyth cyntedd y Theatr yn annisgwyl ar ôl dwndwr y ddinas a bedlam clindarddach ei feddyliau'i hun.

Roedd y rhan fwyaf o adeiladau tebyg yn yr ardal yma wedi'u hanrheithio a'u dinoethi adeg y terfysg tua phum mlynedd yn ôl.

Pigai oglau llwydni a lleithder at drwyn Marcus wrth iddo lithro'n llechwraidd i mewn i'r adeilad, ond ar ôl iddo gau'r drws fe'i llyncwyd gan foeth meddal y llenni melfed a thrwch y carped drudfawr.

Croesodd y cyntedd ac aeth drwy ddrws i'r chwith i'r hen swyddfa docynnau.

Ar ei ffordd i gefn yr adeilad, gwelodd fod yna olau yn yr awditoriwm.

Stopiodd wrth un o'r allanfeydd a gwthiodd y drws yn gilagored. Ar y llwyfan, roedd yna ferch ifanc. Sgarthes fach. Sgerbwd o hogan tua phedair ar ddeg oed mewn siercyn blêr, socasau amryliw a het Jim Crow. Roedd ei thraed yn noeth. Gallai Marcus weld gwarthnod HIV ar ei boch, fel man geni dicllon maint darn pum ECU—smotyn coch gyda'i rhif adnabyddiaeth oddi tano.

Rywsut neu'i gilydd roedd rhywun wedi llwyddo i gael un o'r hen sbotoleuadau i weithio. Safai yng nghanol pwll o olau glas o flaen drych hir, addurnedig gan adrodd stori gymhleth wrthi hi'i hun. Bob hyn a hyn, chwarddai'n afieithus—chwerthin fel sain clychau.

Cripiodd Marcus i mewn i'r awditoriwm ac eisteddodd yn dawel bach yn un o'r seddau tua'r cefn.

Peth bach del oedd hi. Doedd o ddim yn deall ei hiaith. Roedd gan y Sgarthiaid eu *patois* eu hunain, yn lobsgows o ieithoedd a thafodieithoedd. Roedd hi'n atgoffa Marcus o Vanji pan gyfarfu â hi gynta. Ychydig bach yn iau, falla.

Sgarthes oedd Vanji hefyd, ond doedd neb yn gwbod hynny. Ysgymundod oedd y gosb am drin Sgarthes. Alltudiaeth i'r gorllewin. Ond erbyn hyn, doedd neb call yn mynd ar gyfyl y Sgarthiaid. Roedden nhw i gyd yn bositif erbyn hyn jest. Ond doedd Vanji ddim.

Roedd Marcus wedi'i dal wrth iddi geisio dwyn ei gar tua phum mlynedd yn ôl wrth gasglu arian Bevan yn Brighton. Roedd y sioc drydan wedi'i bwrw'n anymwybodol. Roedd o wedi bwriadu'i throi hi i mewn i'r clinig diffrwythloni, ond fe'i rhwystrwyd gan ryw deimlad anghyfarwydd, anesboniadwy.

Yn anffodus, fe gamddehonglodd Marcus y cydymdeimlad anghynefin yma fel chwant, a phan ddeffrôdd y ferch yn ei fflat yn nes ymlaen, fe geisiodd ei threisio. Ond roedd hi'n hogan gref ac ymladdodd fel teigres. Yn y diwedd, gadawodd lonydd iddi ac roedd hi wedi aros hefo fo ers hynny.

Roedd Marcus yn ddibynnol ar Vanji erbyn hyn, ac yn ei ffordd hunanol drwsgwl, roedd Marcus yn ei charu. Roedd o heb ddeall y ffaith yma gan nad oedd cariad yn rhan o'i eirfa, nac o eirfa'r rhan fwyaf o'i gymheiriaid, ond roedd wedi mynd i sylwi fwyfwy ar yr aflwydd ataliol yma a oedd arno ac a oedd yn bygwth tanseilio nid yn unig ei holl ddelwedd, ond ei holl fywoliaeth hefyd.

Anesmwythodd yn ei sedd yn y theatr wag ac atseiniodd gwich grawclyd drwy'r lle. Symudodd y Sgarthes ar y llwyfan o lewyrch y sbotolau er mwyn sbïo i grombil yr awditoriwm gan rewi'n stond pan welodd ei chynulleidfa undyn. Cododd ei llaw a phwyntio ato gan ddal y llall dros ei cheg fel cymeriad mewn melodrama. Yna, sgathrodd oddi ar y llwyfan. Gallai Marcus glywed ei thraed noeth yn patro dros y styllod tua chyfeiriad yr ystafelloedd ymwisgo.

Ac yna, bu tawelwch. Dim smic. Roedd hyd yn oed clebar yr hofrenyddion hollbresennol wedi gostegu am y tro. Mor dawel â'r groth, meddyliodd Marcus—er mawr syndod iddo. Ni chofiai Marcus ei fam heb sôn am ei chroth. Gallai glywed rhywun yn tincial chwerthin yn rhywle . . .

Ailgychwynnodd ar ei gennad, ond erbyn hyn teimlai'n hollol anesmwyth. Fe'i meddiannwyd gan ysfa amhendant aflonydd. Rhythai wynebau arno o'r tywyllwch. Roedd y theatr fel pe bai'n llawn wylofain amhersain. Baglodd a bustachodd drwy'r coridorau nes cyrraedd allanfa frys a agorai ar y cwrt y tu cefn i'r Gath Ddu. Gwthiodd y drws ynghau y tu ôl iddo a phwysodd yn ei erbyn gan sugno awyr i'w ysgyfaint. Blas burum oedd ar yr awyr.

Am faint o amser y safodd fel 'na, doedd gan Marcus yr un syniad. Ond o'r diwedd, adferwyd y realaeth o'i gwmpas. Gallai glywed unwaith eto synau cyfarwydd y ddinas—y seirens a'r hofrenyddion a thrawiad pŵl y ddawns o'r clwb nos. Rhoes ei law yn ei boced. Roedd y ddyfais yno o hyd, yn gnepyn bach ysgafn.

Sythodd ei gorff wrth i hofrenydd eillio'n isel dros y toeau gerllaw, ei olau cryf yn ymestyn bys ymchwilgar i godi caead y nos ar enbydrwydd y ddinas.

Wysg ei ochr sleifiodd yr hofrenydd i gyfeiriad yr afon a chollwyd rhuglo'r llafnau y tu ôl i'r fflatiau uchel ar hyd y cei.

Croesodd Marcus y buarth. Doedd neb wrth ddrws cefn y Gath Ddu. Drwy'r ffenest gallai weld y cogyddion ifainc wrthi'n paratoi'r danteithion dethol a nodweddai'r clwb. Doedd dim newyn yr ochr yma i'r afon.

Aeth Marcus drwy'r drws a cherddodd ar hyd coridor gwasanaeth nes cyrraedd drws a agorai ar y dderbynfa, craidd yr adeilad, y man lle y câi'r ddyfais yr effaith orau. Daliodd ei anadl gan wthio'r drws yn agored ryw gentimetr a hanner.

Doedd fawr neb yn ymyl y dderbynfa ac roedd y ferch fron-noeth y tu ôl i'r cownter â'i chefn tuag ato. Galwodd rhywun arni a chododd a mynd drwodd i swyddfa arall. Croesodd Marcus y cyntedd gan ollwng y ddyfais i bot a ddaliai balmwydden wrth ymyl y fynedfa gan osod yr amserydd i ffrwydro ymhen ugain munud.

Trodd i fynd yn ôl at y drws ond gwelodd fod y ferch wedi dod o'r swyddfa erbyn hyn ac yn sgwrsio gyda chawr o ddyn du yng ngwisg swyddogion diogelwch y clwb.

Roedd y Gath Ddu a busnesau eraill yn y dociau wedi cyhoeddi rhyfel yn erbyn Bevan. Doedden nhw ddim yn mynd i dalu'r primiwn mwyach ac a helpo'r neb o ddynion Bevan a syrthiai i'w dwylo.

Ymdoddodd Marcus i'r cysgodion ger y grisiau. Roedd y cyntedd yn llenwi. Cripiodd ofn i'w ymasgaroedd. Diawl, os na watsiai, mi fasa yntau'n cael ei amlosgi gyda'r gweddill. Aeth y ferch yn ôl i wenu'n deg a fflachio'i thethau ar y cwsmeriaid wrth y cownter, ond arhosodd y dyn du wrth y drws a arweiniai at y ceginau ac yn ôl i'r theatr. Gallai Marcus ddal i ddianc drwy'r brif fynedfa, doedd neb yn edrych yn fanwl iawn ar bobl yn gadael yr adeilad. Ond falla y byddai rhywun yn ei gofio wedyn. Ond na, byddai'r rhan fwyaf o'r rhain yn lludw ymhen llai nag ugain munud.

Byddai'n rhaid iddo aros nes bod y cyntedd yn llenwi, neu byddai'r llabwst 'na wrth ddrws y cefn yn ei weld o a phe bai hwnnw yn amau rhywbeth, gallai rybuddio'r gwarchodwyr wrth y brif fynedfa. Sbiodd ar ei wats. Chwarter awr i fynd.

Roedd y cyntedd yn llenwi'n o lew erbyn hyn. Roedd Marcus ar fin symud, pan welodd Vanji.

Roedd hi ger y drws i mewn i'r neuadd ddawns. I ddechrau doedd Marcus ddim yn siŵr achos roedd hi yng ngafael rhyw folgi penwyn a oedd yn ceisio cyflawni tonsilectomi arni gyda'i dafod. Ond pan sythodd y ddau dan gilchwerthin yn wirion, gwelodd mai Vanji oedd hi.

Un o ymlusgiaid y ddaear oedd Marcus yn y bôn, hyd yn oed yn ôl safonau simsan yr oes. Roedd wedi gweithredu'n gwbl hunanol ac wedi ymdrin â phawb yn ddi-dderbyn-wyneb o ffiaidd drwy gydol ei yrfa gymharol hir fel pimp, thyg a llofrudd. Yn rhaglaw ffyddlon i'r mallgi sadistaidd Bevan ers pymtheng mlynedd, roedd wedi pesgi'n fras ar drallodion cymdeithas chwilfriw—ond heno, yng nghyntedd y Gath Ddu, pliciwyd arfogaeth pymtheng mlynedd o gigydda a drwgweithredu oddi amdano mewn amrantiad, a safodd yn noethlymun yn nannedd rhyferthwy o deimladau diarth.

Yn nhrobwll ei feddyliau, cofiodd am y ffordd roedd Vanji wedi taflu cipolwg ddiamynedd dros ei hysgwydd ar y fideoffôn yn gynharach. Roedd y bastad 'na hefo hi, mae'n rhaid, yn gwitsiad amdani yn y gawod.

Eiddo Marcus oedd Vanji, roedd pawb yn gwbod hynny. Ocê, roedd o wedi cael faint a fynnai o fenywod eraill—ond roedd Vanji'n wahanol. Roedd yn gallu trystio Vanji. Roedd Vanji ag o'n fêts.

Roedd y traeth byw yr oedd Marcus wedi codi'i annedd arno'n dechrau ymysgwyd. Ers wythnosau rŵan, bu'r dirgryniadau ar gynnydd. Doedd Marcus ddim yn foi deallus iawn. Yn ddigydwybod, di-ddysg a di-weld, roedd wedi crafangu'i ffordd ar hyd y daith . . . ond rywle, rywsut . . .

Ond ei ymateb cyntaf i'r sefyllfa oedd balchder; roedd o'n falch ei fod wedi plannu'r ddyfais. Argol.

Mi ddysgai wers i'r bitsh. Gad i bob ffycin wan jac ohonyn nhw fynd i fyny'n wenfflam. Gallai weld eu cyrff yn gwingo yn nawns angau'r fflamau. Siapiau du aneglur yn eirias, wynias yn y tân. Brad yn cael ei buro.

Cerddodd am y drws. Yr eiliad nesaf trodd Vanji'i phen a'i weld. Gadawodd ei phartner a daeth tuag ato . . .

A phan ddigwyddodd hynny, a phan welodd Marcus harddwch ei hwyneb a'r llygaid tywyll, ymbilgar, doedd o ddim eisiau iddi losgi. Doedd o ddim eisiau i neb losgi. Aeth yn syth at y balmwydden a chipio'r ddyfais o'r pridd sych o gwmpas y bonyn.

'Marcus . . .'

Ond roedd Marcus eisoes yn gwthio'n erbyn y lli o bobl a wasgai i mewn i'r Clwb drwy'r brif fynedfa. Ac yna, roedd o allan yn yr awyr agored.

O flaen y Gath Ddu roedd promenâd llydan yn rhedeg ar hyd y cei. Roedd y cwbl o dan lifoleuadau cryf a safai dynion diogelwch wrth bob adeilad. Tynnodd y ddyfais o'i boced a stopiodd yr amserydd. Roedd un munud ar ddeg i fynd. Dechreuodd gerdded ar hyd y promenâd, yn hamddenol i ddechrau rhag ofn tynnu sylw'r swyddogion diogelwch. Yna, wrth iddo ymbellhau o'r marina a'r Gath Ddu, cyflymodd ei gamau.

Rhwng cyrion y marina a'r gatiau diogelwch ym mhen draw'r cei roedd yna gysgod. Llyncwyd Marcus gan yr hafan ddu yma a stopiodd. Roedd yn laddar o chwys a deuai'i anadl mewn pyliau asthmatig herciog.

Gwrandawodd ar y nos. Roedd gwynt yn chwythu o'r afon ac felly prin y gallai glywed y miri draw ger y clwb. Ymhell bell clywai sŵn hofrenydd.

Rhywle yn y tywyllwch, yn annisgwyl braidd, cwynai pioden y môr gan ddeffro yn Marcus ryw atgofion diafael, anhapus. Roedd y ddyfais yn ei law o hyd, yn oer ac yn galed yn erbyn ei gledr chwyslyd. Cerddodd yn ansicr at ymyl y cei lle sugnai'r llanw'n anweladwy yn erbyn y wal islaw. Roedd y bioden wedi distewi.

Syllodd i'r tywyllwch. Yr ochr draw i'r afon roedd coelcerthi'r Sgarthiaid yn bwrw llinellau symudliw aur a gwyn dros y dyfroedd du.

Taflodd y bom yn uchel i'r awyr gan gyfrif hyd at bedwar cyn clywed y sblash diniwed a gipiwyd yn syth gan y gwynt.

Am ychydig safodd y gŵr ifanc, ei gorff yn llonydd ond ei feddwl ar chwâl. Edrychodd yn ôl tuag at y Gath Ddu, ac am ennyd awgrymai osgo'i gorff ei fod am ddychwelyd yno. Camodd unwaith at ymyl y cei a chraffu i lawr ar y llanw'n llepian yn awchus wrth y wal.

Yna, yn benisel, trodd ei gamre am y giât ddiogelwch. Uwch ei ben mewiai'r gwylanod eu gwawd.

Fydd hi ddim yn hir rŵan, meddyliodd.

Gwell Wyf o'i Golli

ROEDD yn gas ganddi fis Mai; yn gas ganddi ddechrau'r haf; yn gas ganddi optimistiaeth ffrogiau ysgafn a blowsys llewys cwta cynta'r tymor. Gwell ganddi oedd hirlwm y gaeaf, yr hydref hiraethlon a gobeithion pastel y gwanwyn. Hen aflwydd oedd mis Mai a feddiannai'i chorff i gyd.

Dim ond ar ôl yr heuldro ym mis Mehefin byddai'r croen tin tynn am ei thalcen yn dechrau llacio. Ar ôl yr heuldro, byddai'n gallu ymdopi'n well, ac erbyn dechrau mis Medi, byddai'n fêl i gyd ac yn edrych ymlaen at gwymp y dail a'r barrug cyntaf.

Ond y pumed o fis Mai oedd hi heddiw; tywydd mawr, gwyntoedd a glaw di-baid mis Ebrill wedi cilio o'r diwedd, ac ers tridiau roedd yr awyr wedi'i pheintio'n las a'r tymheredd wedi rocedu. Ac roedd ei chas fel llanw drwyddi.

Ac felly pan ofynnodd y dyn diarth, tal â'i wên seliwloid, sbectol ddu, crys-T gwyn a *bermudas* coch ac oren a safai ar ben y grisiau y tu allan i'w fflat, am lasiad o ddŵr, does ryfedd mai *'Fuck off!'* didaro oedd ei hymateb.

Roedd hi'n hen law ar sbeitio dynion. Roedd yn haws eu trin fel'na. Nid ei bod hi'n ffeminist, neu unrhyw fath o -ist neu -ydd arall pe bai'n dod i hynny, roedd hi jest yn ffeindio bod dynion yn hen hasl diangen, di-fudd. Roedd yn haws bod yn bigog ac yn ddigyfaddawd hefo nhw na'u dandlo a'u maldodi. Serch hynny, roedd dynion yn cael eu denu ati, dynion o bob math. Roedd yna wastad rywun ar y bach ganddi.

Oer oedd cyntedd y fflat. Oer a thywyll. Caeodd ei llygaid a cheisio dychmygu mai mis Chwefror oedd hi o hyd. Yn wlyb ac yn oer . . . yn llwyd ac yn ddi-haul.

Daeth cnoc ar y drws. Cnoc sych yr haf. Agorodd y drws ac yno safai'r dyn.

'Paid â dychryn. Y cwbl dwi isio ydi glasiad o ddŵr. Mae syched difrifol arna i.'

Ystyriodd am ennyd. Byddai gwrthod glasiad o ddŵr y tu hwnt o wynebgaled hyd yn oed iddi hi.

'Sa' fan'na,' meddai'n flin. Caeodd y drws ac aeth i nôl dŵr o'r gegin a'i roi i'r dieithryn.

Fe'i hyfodd ar ei dalcen.

'Diolch . . .' dechreuodd gan fflachio'r enamel drachefn. Ond roedd hi eisoes wedi cipio'r gwyd-ryn a chlepio'r drws.

Ar ben y grisiau, daliai'r dieithryn i wenu cyn ei throi hi am y stryd.

Yn y fflat, tynnodd hithau'r llenni nes cau allan pob pelydryn o haul gwenwynig mis Mai, ac eisteddodd yn y tywyllwch am ychydig cyn cynnau'r lamp ar y bwrdd. Ochneidiodd. Roedd y digwyddiad wedi'i drysu braidd. Fel rhyw igian yn nhrefn amser. Fel 'na yn union y buasai pethau ddwy flynedd ar bymtheg yn ôl. Cyfarfyddiad annisgwyl, diwahodd-iad. Yn sydyn, gallai glywed eto oglau'r gwyddfid ar lethrau'r mynydd; gweld meysydd euraidd trai'r aber; blasu'r heli ar ei groen; pysgod aur a phagodas . . . ac yna, diwedd yr haf a diwedd y cwbl fel pe na buasai erioed.

* * * * * *

Fore trannoeth, roedd hi'n ôl wrth ei desg, awr wan neithiwr hefyd fel pe na buasai erioed.

Roedd pethau'n ôl ar eu hechel eto. Roedd yr awyr yn las o hyd, y tymheredd yn codi o hyd, a'r casineb yn cronni o hyd. Roedd y pigau wedi'u hogi'n flaenllym.

Bu'i hysgrifenyddes, lliw efydd, gludiog ar ôl torheulo didostur y Sul, lliw a godai wrychyn ei phennaeth i'r entrychion, dan y lach drwy'r bore, druan. Gallai'r ddraenoges yma fod yn bigog hefo pawb, nid jest dynion, cofiwch. Klaus Barbie Doll oedd ei llysenw yn y swyddfa.

Drwy'r ffenest agored, drifftiai sŵn strimers a *lawnmowers,* fan hufen iâ ac oglau Nivea a lawntiau ir i'w chlustiau a'i ffroenau. Cododd a chau'r ffenest. Dychwelodd at ei desg gan eistedd drachefn. Synhwyrodd bresenoldeb o'i blaen a chododd ei phen yn siarp. Yno safai'r dyn diarth eto.

'Helô,' meddai. 'Sori. Roedd eich ysgrifenyddes yn brysur hefo'r peiriant ffoto-copïo a gwelais fod y drws . . .' Stopiodd wrth iddi godi'i phen. Edrychodd yn syn. Yna, gwenodd ac aeth yn ei flaen.

'Wel pwy fasa'n meddwl, yntê? Ti! Yr oasis yng nghanol anialdir y ddinas. Fe wnest ti achub 'mywyd i ddoe, cofia. Rhyw bwl rhyfedd, crwydro'r strydoedd yn y gwres 'ma. Fwya' sydyn roedd dŵr poeth y diawl arna i a 'mhen yn troi fel top. Ych y fi!

Mae'n siŵr dy fod ti'n meddwl mai ar ryw berwyl drwg oeddwn i, yn loetran wrth dop y grisiau fel 'na. Ond roedd yr adeilad yn cŵl ac ro'n i wedi cnocio sawl drws cyn i ti ymddangos . . .'

'Be dach chi eisiau yma?' meddai, tipyn bach yn llai hunanfeddiannol nag arfer.

'Ga i ista?' Eisteddodd cyn iddi gael cyfle i ymateb. 'Eisio gwerthu bwyty ger Caerloyw ydw i. Wedi bod yna ers rhyw ddeng mlynedd, ond rhwng y dirwasgiad ac ymweliadau Teithwyr yr Oes Newydd, dydi'r lle ddim mor llewyrchus na phoblogaidd ag y buodd o. A chan fod y farchnad mor ara y dyddia 'ma, ro'n i wedi clywed mai chi oedd y bobl i gael petha i symud.'

Ddeng mlynedd. Roedd o'n hŷn na'i olwg felly. Roedd hi'n teimlo'n boeth erbyn hyn. Cododd ac ailagor y ffenest, roedd sŵn y strimers a'r peiriannau eraill fel grwnan gre o wenyn, yn codi'n uwch ac yn uwch. Pan drodd yn ôl at ei desg, roedd y dyn diarth yn ei gwylio, ei wên yn dawnsio. Roedd ganddo'r llygaid harddaf a welsai erioed, rhai gwyrddlas afreal . . .

* * * * * *

Lensys lliw oedden nhw, mewn gwirionedd. Fe'u tynnodd yn y bathrwm cyn dod i'r gwely ati. Gwelodd mai glas golau niwlog oedd lliw ei lygaid go-iawn, ond dyn hardd oedd o, serch hynny. Ei sgwyddau fel un o ddelwau'r Dadeni; ei ddwylo mor llyfn a hyblyg â chŵyr.

Roeddent wedi ciniawa mewn lle bach ger y bont yn yr hen dre; canai'r afon yn siriol, wedi'i chwyddo gan lawogydd Ebrill; gwelsant las y dorlan yn melltennu'i ffordd rhwng tresi'r helyg. Dechreuodd sôn am y peintiad miniatur oedd ganddi o las y dorlan, un o'i ffefrynnau ymhlith casgliad anrhydeddus a gwerthfawr o finiaturau o'i heiddo. Fe hoffai ef eu gweld nhw, meddai. Roedd ganddo yntau ddiddordeb mewn peintiadau . . .

Daliai i draethu'n ddiymdrech am y celfyddydau cain wrth iddynt ddringo'r grisiau fraich ym mraich at ei fflat. Cafwyd y gusan gyntaf yn y man lle'r oedd wedi dweud *'fuck off'* wrtho gwta bedair awr ar hugain ynghynt.

Aethant i mewn i'r fflat a thynnodd y llenni. Golchodd golau diog y prynhawn drwy'r ystafell. Safai'r dyn yng nghanol llawr ei hystafell fyw yn rhyfeddu at y trysorau yno.

'Mae hwn yn gasgliad anhygoel. Faint sydd gen ti?'

'Tua chant, ella. Dwi wedi hen golli cownt.'

Pam bod peintiadau miniatur yn apelio ati gymaint? Wyddai hi ddim yn iawn. Hoffai'r bydoedd bach hud a lledrith a ddaliwyd oddi mewn i'r fframau bach, délicet. Roeddent yn eu hatgoffa o Alice yn gweld yr ardd drwy dwll y clo. Nid pawb oedd yn cael gweld y casgliad yma. Menyw gyfrinachol oedd hi a'i cadwai'i hun ati'i hun. Roedd pethau ceinion mor hawdd i'w dryllio.

Buont yn caru drwy'r prynhawn. Caru'i gilydd yn anhunanol heb ddal yn ôl. Wedi'r caru, buont yn siarad am bopeth—wel, hi wnaeth y rhan fwyaf o'r siarad; ofnau, gobeithion, bwyta cig, chwarae tenis . . . Doedd hi ddim wedi sôn am denis ers iddi roi'r gorau iddo ddwy flynedd ar bymtheg yn ôl, wrth fwrw'i chroen briwiedig ar ôl ffustad emosiynol y chwalfa. Falla y gwnâi ymdrech i fynychu Wimbledon eleni wedi iddi'i anwybyddu a'i ffieiddio cyhyd.

Cododd i wneud swper ysgafn iddynt tuag wyth tra aeth yntau allan i brynu potel o win. Drwy ffenest y gegin roedd yr awyr yn wyrddlas uwchben y tai. Teimlai'i chorff wedi'i ymlacio ar ôl cael rhyw, fel pe bai llifiant y blynyddoedd wedi'i ddraenio ohoni a dŵr ffynnon fyrlymus wedi cymryd ei le. Edrychai ar lewyrch y machlud afalwyrdd ac fe'i gwelodd yn hardd. Heno, gallai deimlo rhyw osteg fewnol.

Roedd o'n hwyr yn dod yn ôl ac erbyn iddo ddychwelyd roedd hi'n eistedd wrth y bwrdd, y swper yn dechrau sbwylio, a'r amheuon yn dechrau pigo. Ond o'r diwedd, hwyliodd i mewn i'r fflat, potel o win mewn un llaw, blodau yn y llall.

'Ddrwg gen i bo fi'n hwyr. Ro'n i'n gorfod gwneud ychydig o alwadau ffôn. Galw'r ferch 'cw . . .'

'Ti'n briod.' Gosodiad nid cwestiwn. Panig yn amlwg.

'Wedi 'sgaru. Ew! Mae ogla da'n rhywle.'

Roedd 'na ogla da arno fo hefyd, meddyliodd, wrth iddo ddynesu ati er mwyn cyflwyno'r blodau. Ogla rhyw sent neu'i gilydd, yn gymysg â'i gadernid cynhenid. Ogla lloches, ogla hafan, ogla'r haf.

Ar ôl swpera, dangosodd ei chasgliad iddo. Agorodd botel o frandi a thra eisteddai yntau ar y soffa, tuthiodd 'nôl ac ymlaen rhyngddo a'r lluniau ar y wal. Roedd yn *connoisseur* brwdfrydig gan dynnu sylw at agweddau neu fanylion nad oedd hi wedi'u gweld o'r blaen. Teimlai'i phen a'i chalon yn ymagor wrth i'r brandi a'r sgwrs lifo yn ddilyffethair.

Roedd hi'n hwyr. Roedd ganddi waith yfory. Na, doedd hi ddim eisiau rhagor o frandi. Roedd yntau hefyd wedi gweld digon o luniau am un noson, meddai. Cawod gynta, meddai hi, ac wedyn . . .

Dychwelodd yn noeth o'r gawod i'r llofft. Roedd o'n chwyrnu fel baedd, y brandi'n drech na'i chwant. Daliai i edrych yn hardd, er gwaetha'r rhochian.

Gorweddodd wrth ei ochr. Dirgrynai'r gwely yn y dymhestl yddfol. Roedd hi'n benderfynol o fwynhau'r teimladau a'r emosiynau a drybowndiai drwy'i chorff, ond llifodd cwsg drwy'i gwythiennau llac a phan agorodd ei llygaid, roedd yn fore.

Daliai ef i gysgu fel hogyn bach, a dim ond pan oedd hi'n gwisgo'i siaced y bu unrhyw arwydd ei fod am stwyrian.

''Gloch di, rŵan?'

'Toc wedi wyth. Gwranda, mae'n rhaid imi'i throi hi, ond does dim rhaid i ti ruthro. Pryd gwela i chdi eto?'

'Ymm . . .' doedd o ddim yn effro'n iawn, mae'n rhaid. 'Ryden ni'n gorfod trefnu rhywbeth ynglŷn â gwerthu'r *Cherry Trees*.'

'Yden, yden. Ond dim sôn am fusnes ydw i. At ddiben pleser ro'n i'n meddwl.'

Diflannodd ei llaw o dan y cwrlid gan gydio yn ei gala. Fe'i gwobrwywyd gan grynfa addawol.

'Heno?'

'Os nad yn gynt. Beth am dros dy ddesg yn y swyddfa?' Erbyn hyn roedd yn gwbl effro.

'Mi gei di aros tan heno, fy Mhriapws bach i.'

'Ble? Fan hyn.'

'Os t'isio. Am saith, ia?'

'Am saith.'

Rhoddodd hi un wasgfa sydyn olaf i'w hudlath cyn codi llaw arno a diflannu drwy'r drws.

Gorweddodd yn ôl yn y gwely pan glywodd y drws allan yn clepian. Sbeciodd ar ei wats ar y cwpwrdd bach a chaeodd ei lygaid drachefn.

Pylodd heulwen y bore o gwmpas hanner dydd ac fe aeth yn fwll eithriadol. Fe'i plagiwyd hi drwy'r prynhawn gan ddau bryfyn, y naill yn glanio o hyd ac o hyd ar ei phen tra ymosodai'r llall ar ei dwylo ar allweddau'r prosesydd. Wrth geisio'i fwrw, fe drawodd ryw allwedd allweddol fel petai, ac er na chollodd ddim o'i gwaith, treuliodd chwarter awr ar bigau'n ceisio cael hyd iddo drachefn. Ddoe, byddai digwyddiad o'r fath wedi'i gyrru'n benwan, ond heddiw câi'n haws rywsut dderbyn y meflau yn nhapestri bywyd.

Gadawodd y swyddfa am dri. Roedd arni ei eisio fo'n arw. Gyrrodd yn ôl i'r fflat. Parciodd yn y garej wrth y ganolfan hamdden a dechreuodd gerdded yr hanner milltir tua'r tŷ. Yn sydyn, roedd fel pe bai larwm wedi'i ollwng yn ei phen. Cudyll yn mewian uwch ei nyth, brys-neges yn tabyrddio'i harlais. Roedd ei brest yn dynn a llifai'r chwys rhwng ei bronnau ac i lawr ei choesau'n gosfa annifyr. Roedd yr awyr yn isel, yn lliw copr llidiog. Aeth i groesi'r ffordd draw am y fflatiau. Sgrechiodd corn i'r dde ohoni a chamodd yn ôl ar y pafin mewn braw wrth i lorri anferth sgubo heibio. Erbyn hyn roedd yn dechrau colli arni'i hun. Roedd hi eisiau'i freichiau amdani; roedd hi eisiau'r hafan. Gwyddfid ar y llethrau, twyni tywod, cwch modur ar angor, pysgod aur a phagodas . . .

Baglodd i fyny'r grisiau o flaen y tŷ ac i mewn i'r lobi.

'Wedi anghofio rhywbeth?'

Dychrynodd.

'Jest mewn pryd cyn y storm hefyd.'

Y gofalwr yn llercian yn ôl ei arfer. Oglau festri arno.

'Sonioch chi ddim eich bo'chi'n mynd chwaith.'

'Sorri?'

'Mi ges i'r agoriad sbâr gan y *boyfriend.* Daw o i gysylltiad, medda fo.'

Deallodd ar unwaith. Y sopan hurt iddi! Gafaelodd yn yr agoriad a rhedeg nerth ei phegiau i fyny'r grisiau Siorsiaidd gosgeiddig. A'i gwynt yn ei dwrn, cyrhaeddodd y fflat. Agorodd y drws gan ei fwrw led y pen. Cleciodd yn galed yn erbyn y wal fewnol. Eco. Gwacter. Ystyllod noeth. Trwodd i'r ystafell fyw. Gwacter oer. Olion rhithiol y lluniau ar y papur wal, styllod moel. Ger y ffenest, safai hen stôl ddiwerth o'r gegin. Aeth draw ati. Arni roedd y botel frandi, y miniatur o las y dorlan ac amlen. Rhwygodd yr amlen yn agored gan hanner disgwyl nodyn ffarwél, cyn sylweddoli mai polisi yswiriant cynnwys y tŷ oedd o.

Y tu allan roedd y daran gyntaf yn rhefru. Y duwiau yn symud dodrefn y nefoedd.

Aduno

BYDDAI'R ddramodig ganlynol yn gymaint rhan o'r Nadolig yr adeg honno â thorchau'r Adfent, *Stille Nacht* a sgidiau ar sil y ffenest.

'Mam, 'wyt ti'n mynd i agor parsel pobl Leipzig?'

'O . . . dwi'n rhy brysur i 'neud o rŵan. Pam na wnei di?'

Fyddwn i byth yn siŵr p'un ai cywilydd neu ofn neu dorcalon oedd yn nadu Mam rhag agor y parsel a ddeuai'n ddiffael o'r DDR ar ddechrau Rhagfyr bob blwyddyn am flynyddoedd.

Byddai bob amser wedi'i gyfeirio at fy mam 'a gweddill y teulu', a byddai'i gynnwys yn ddigyfnewid o flwyddyn i flwyddyn: llythyr ataf fi a'm chwaer, Nicola, oddi wrth ein cyfnither, Ilse; llythyr at Mam a 'Nhad oddi wrth frawd Mam, Wncwl Wili; a dwy oren.

Dwy oren sych a chaled ac, yn amlach na heb, llwydni'n dechrau'u gwysno.

Fel rhan o'r ddrama flynyddol, byddwn yn eu gosod yn ofalus yng nghanol y ffrwythau eraill yn y fowlen grisial ar y bwrdd mawr yn yr ystafell fyw. Edrychent yn anemig iawn yn erbyn lliwiau cyfoethog ffrwythau marchnad Würzburg. Erbyn bore trannoeth byddent wedi diflannu.

Bob yn ail flwyddyn, byddwn yn holi Mam ynghylch eu tynged:

'Mam, be ddigwyddodd i orennau pobl Leipzig?'
'O . . . Roedden nhw'n dechrau llwydo. Mi fasan nhw wedi sbwylio'r gweddill.'
'Mi ddylwn i sgwennu gair atyn nhw i ddiolch,' meddwn yn ddifater brofoclyd.
'Na, na. Mae'n iawn. Mi wna i sgwennu droston ni i gyd,' dywedai Mam yn ddidaro frysiog.
Falla ei bod hi'n sgwennu. Pwy a ŵyr? Ond dwi'n amau rywsut. Ta waeth, byddwn inna'n ysgrifennu ichi. Ychydig linellau'n unig—dwi fawr o lythyrwr hyd heddiw—gan ddiolch am y cyfarchion tymhorol a'r ffrwyth. Yr un brawddegau fwy neu lai o'r naill Nadolig i'r llall.
O Giwba y deuai'r orennau'n wreiddiol, mae'n debyg. O'r ynys honno y câi dinesyddion y DDR lawer o'u cynnyrch trofannol. Ond dim ond y stwff salaf fyddai'n cyrraedd eu siopau. O'r hyn y gwyddom erbyn hyn, mae'n debyg mai at rywrai pwysicach na'i gilydd y byddai'r cynnyrch yn mynd—i lenwi powlen ffrwythau Honecker a chadfridogion y Stasi, hwyrach.
Unwaith yn unig y bu imi flasu un o'r orennau crablyd 'na. Di-flas oedd hi hefyd. Di-flas hollol ac yn llawn dincod a phith. Ond byddwn i bob amser yn dweud faint yr oedden ni wedi'u mwynhau yn y llythyr diolch blynyddol.
Hen bethau bach rhyfedd oedd llythyrau Ilse hefyd. Rhyw gipdrem ddigon dadlennol ar fytholeg a meddylfryd y system dros y ffin. O ddechra'r saithdegau roedd teulu Ilse'n gallu derbyn rhaglenni teledu o'r Gorllewin. Ond gwrthod coelio'r delweddau sgleiniog a welid ar y sgrin a wnâi fy nghyfnither. Byddai'i llythyrau'n llawn cydym-

deimlad â thrallod a dioddefaint y Gorllewin. Gwyddai'n iawn, meddai, mor anodd oedd pethau arnon ni yn y BRD mewn gwirionedd, ac am y celwyddau a daenid gan yr Americanwyr ac eraill.

Gan amlaf, âi'r llythyrau rhagddynt i frolio'i gorchestion ym maes chwaraeon a mabolgampau, a'i gobeithion am gyrraedd y tîm cenedlaethol mewn rhyw gamp neu'i gilydd.

Byddai'r paragraff clo bob amser yn sôn am heddwch byd-eang a'i gobaith y byddwn yn cwrdd ryw ddydd. Yna, ôl-nodyn; 'Gobeithio y cei flas ar yr orennau.'

Roedd y peth yn gêm gen i. Fyddwn i byth yn rhoi dim yn fy llythyrau diolch i'w dadrithio ynglŷn â'n gwir amodau byw; roedd ei chonsýrn bob amser yn swnio mor ddiffuant. Cawn ryw bleser sadistaidd bron o'i chadw yn y tywyllwch.

Yn blentyn, roedd yn ddirgelwch i mi pam bod Mam mor rhyfedd ynglŷn â phobl Leipzig. Cyndyn oedd hi i sôn am ei gorffennol a'i theulu. Y cwbl a wyddwn i am Nain a Thaid Leipzig oedd eu bod wedi'u lladd yn y rhyfel. Teulu 'Nhad oedd y cwbl, yn gyflawn ac yn amlganghennog. Modryb i Dad oedd wedi cymryd Mam i mewn ar ddiwedd y rhyfel, yn ffoadures amddifad dair-ar-ddeg oed.

O ganlyniad roedden ni'n uned glòs iawn yn ôl yn y chwedegau a'r saithdegau, pan oedd Nicola a finnau ar ein prifiant. Bydden ni'n mynd yn un fintai gref i lawr i Bayern yn ystod yr haf i gerddded, ac eto yn ystod y gaeaf i sgïo. Mae gen i atgofion melys iawn o'r cyfnod hwnnw. Dyddiau da. Dyddiau bras, diofal. Roedden ni'n cymryd ein breiniau mor ganiataol yr adeg honno.

Fy nghefnder, Hugo, mab chwaer 'Nhad a ddywedodd wrtha i am hanes teulu Mam pan oedden ni'n gwneud ein gwasanaeth milwrol gyda'n gilydd.

Ymddengys fod Taid yn aelod brwd a blaenllaw o'r Blaid Natsïaidd a bod ei unig fab, Wncwl Wili, brawd mam, yn aelod o'r gwrthsafiad Almaenig yn erbyn y Natsïaid. Ar ddiwedd y rhyfel pan gyrhaeddodd y Fyddin Goch ddwyrain yr Almaen, dyma Wncwl Wili, a welsai'i gymrodyr gwrth-Natsïaidd yn diflannu fesul un i'r gwersylloedd a'r crocbren, a lle cryf ganddo i amau mai'i dad ef ei hun oedd yn gyfrifol am eu bradychu i'r Gestapo (neu pam ei fod yntau wedi goroesi?), yn sbydu'i amheuon i gyd i glustiau parod yr NKVD.

Arestiwyd yr hen foi a bu'n lwcus na chafodd ei saethu'n syth, er falla y basa hynna'n dynged brafiach na'r llafur caled a gafodd. Credir iddo farw mewn cloddfa blwm yn Siberia yn gynnar yn y pumdegau.

Aeth Wili yn ei flaen i fod yn was ffyddlon i'r Blaid a'r Wladwriaeth.

Roedd Taid wedi anfon Mam a Nain draw tuag at yr Americanwyr cyn i'r Rwsiaid gyrraedd, ond cafodd Nain ei lladd cyn diwedd y rhyfel pan daniodd tanciau Americanaidd ar y pentref lle'r oeddent yn llochesu, er gwaetha'r baneri gwynion a hongianai wrth bob talcen tŷ.

Dwn i'm os ydi'r stori'n wir. Roedd straeon o bob math yn frith yr adeg honno gyda hanner Ewrop yn codi'u pac. Ond, yn sicr, roedd Mam yn od am yr ochr draw; ddim yn gas fel y cyfryw, fel y byddai rhai, jest yn od. Tra oeddwn i, wel, fatha'r rhan fwya o'm cenhedlaeth, yn gweld y DDR yn wlad estron nad oedd a wnelo hi ddim oll â'm bywyd i na'm cyfoedion. Croeso iddyn nhw ei chadw—a chaen nhw Berlin hefyd os oedden nhw ei heisiau gymaint. Gwastraff pres oedd Berlin ym marn llawer.

Ond y llynedd, wrth gwrs, dechreuodd y byd droi beniwaered, yn do?

'Bydd y wal 'na i lawr yn gynt nag wyt ti'n meddwl,' meddai fo. 'Ac mi ddyweda i beth arall wrthot ti hefyd. Bydd yn rhaid i'r bobl yr ochr draw symud yn weddol handi, neu mi fydd y Gorllewin wedi codi wal arall i'w cadw nhw allan. Prost!'

Sais oedd yn siarad. Cerddor proffesiynol yr oeddwn i wedi cwrdd ag o yn rhinwedd fy swydd hefo'r gwasanaeth radio.

Y cwrw oedd yn siarad. Ddeuai'r Wal byth i lawr tan y ganrif nesa—os hynny. Ond meddw ai peidio, roedd y boi wedi'i gweld hi fel arall. Roedd yna nifer o ffoaduriaid o'r DDR ar y staff acw a doedd dim modd anwybyddu'r cwynion a'r ofnau yr oedd rhai'n eu lleisio ynglŷn â swyddi.

Y rhain oedd y dyddiau pan oedd miloedd yn ffoi yn eu denims drwy Hwngari a Tsiecoslofacia, yn gwersylla yn y llysgenadaethau a'r ffiniau'n dechrau gwegian a Trabis darfodedig yn britho pob dinas ac *autobahn*—crwbanod cyntefig yng ngwlad y sgwarnogod chwim.

Roeddwn i ym München ar y pryd, yn paratoi rhaglen ar ŵyl gerddorol yn y ddinas. Ffarweliais i â'r Sais bach dymunol tua hanner nos, a finna mor feddw ag yntau, a cherdded yn simsan yn ôl i'm gwesty. Roedd y tywydd yn fwll. Yn uffernol o fwll, ac er bod y papurau'n gaddo tywydd mwy claear ers dyddiau, doedd dim sôn amdano eto. Blwyddyn dda ar gyfer y gwin, serch hynny.

Roedd yr ystafell yn y gwesty fel ffwrnais. Mi dynnais amdanaf a gorweddais ar ben y *duvet* dan smocio a gwrando ar gerddoriaeth jazz ar AFN.

O'r diwedd, gyda *Mood Indigo* yn drifftio i'm hisymwybod, dechreuais i slwmbran. Ar unwaith bron, mi lithrais i freuddwyd diafael yn llawn delweddau gwaedlyd ac anghynefin. Roeddwn i mewn caffi yng nghysgod y Mur, ond roedd y tu fewn i'r caffi'n debyg i ladd-dŷ gyda darnau annosbarthus o gig yn hongian o'r to a'r gwaed yn diferu i'r gwpan goffi o'm blaen.

Yna, deffro'n ddryslyd i sŵn y ffôn.

Ffwndrais am y derbynydd.

'Mmmm . . . hyl . . . mmm,' roedd y geiriau'n cau ffurfio'n grwn yn fy ngheg.

'Momentmal . . .'

'Arhosais ond doedd dim llais, dim byd, dim ond ambell glec bellennig.

Yn ara' deg ro'n i'n dechrau dadebru. Roedd y derbynydd yn farw o hyd. Taniais sigarét arall a dechrau colli amynedd.

'Uffern dân! Oes rywun yna?'

Wrth imi weiddi, daeth llais ifanc ac eiddgar y pen arall i'r lein.

'Helô, Dieter . . . Dieter Hagelstane.'

'Fi ydi hwnnw, ia.'

'Dyma Ilse.'

'Ilse?'

'Dy gyfnither o Leipzig.'

'Ilse!'

Ilse a'i horennau o Giwba, gyda'i mabolgampau

a'i sêl anheintus dros y system.

'Plîs, Dieter, fedri di fod yng ngorsaf Grenzstadt ger y ffin ag Awstria fory? Mi fydda i ar drên o Fiwdapest.'

'Sut gest ti fy rhif i?'

'Drwy'r radio. Mi fydda i'n gwrando arnat ti weithia. Plîs, Dieter, fedri di fod yno? Ti ydi'r unig berson dwi'n nabod ar yr ochr draw.'

'Medraf. Ond faint o'r gloch? Sut fydda i'n dy nabod di?'

Ond bellach doedd dim ond undonedd y tôn deialu i'w glywed. Am ychydig wyddwn i ddim yn iawn beth i'w wneud. Daliai'r *jazz* i godi'n ddiog braf o'r radio a'r tu allan doedd dim taw ar ru'r drafnidiaeth drwy'r ddinas.

Ond roedd fy nghlustiau fel pe baent yn fyddar i'r synau hyn. Ym mhob man o'm cwmpas gallwn glywed y rhew yn cracio a griddfan, fflochiau'n ymryddhau wrth i'r tân o dan y pair gael ei ailgynnau. Yn hollol ddirybudd, mi ddechreuais i wylo. Ond nid dagrau o lawenydd oedden nhw ond dagrau o ddryswch ac ansicrwydd a rhyw ofn a hunandosturi anesboniadwy.

Erbyn imi gyrraedd Grenzstadt roedd emosiynau carlamus y noson gynt wedi'u goresgyn gan ystyriaethau mwy ymarferol ac oeraidd, megis sut gebyst y byddwn i'n nabod yr hogan —doeddwn i erioed wedi gweld ei llun hi ac roedd ein gohebiaeth wedi peidio ers pymtheng mlynedd a rhagor; ac, yn bwysicach fyth, a fyddwn mewn pryd i gyrraedd yn ôl ym München ar gyfer y cyngerdd yr oeddwn i fod i'w adolygu ar gyfer rhaglen blygeiniol fore trannoeth. Doedd fy mhennaeth ddim yn batrwm o oddefgarwch. Allan ar fy nhin y byddwn i. Fyddai stori *schmolz* am aduno â chyfnither goll yn fawr o gysur iddo. *Gästarbeiter* a ffoaduriaid oedd ei gas bethau ar y funud. Oni chyrhaeddwn y cyngerdd, byddwn yn ddi-waith.

Roedd yr orsaf dan ei sang. Pob trên a ddeuai drwy Awstria o Hwngari'n dod â rhagor o ffoaduriaid ifainc. Roedd dagrau a chwerthin, a chorciau siampên a bandiau pres—ond erbyn hyn, a'r oriau'n llithro heibio, cyrraedd y cyngerdd mewn pryd oedd yr unig beth ar fy meddwl.

Roedd yna drên arall am bedwar. Os nad oedd Ilse ar hwnna, byddwn yn ei throi hi neu faswn i byth yn cyrraedd München mewn pryd.

Am ddeng munud i bedwar, fe'm trawyd na allwn gwrdd ag Ilse'n waglaw. Roedd stondin ffrwythau ger y platfform ac wrth lygadu'r wledd o liw, sylwais ar yr orennau a chofiais am y parseli bach trist a llythyru diffrwyth y blynyddoedd a fu. Roedd yr eironi'n apelio ataf, ac felly gwthiais fy ffordd ymlaen at y stondin.

Roedd yna sgarmes ofnadwy o'i chwmpas. Yr Ossies yn gwirioni ar y dewis, criwiau teledu'n baglu dros offer ei gilydd, paciau a bagiau miniog yn ymwthio i bob rhan o'ch corff.

Roedd yna oglau rhyfedd hefyd ar yr ychydig hen bobl ymhlith y ffoaduriaid o'r dwyrain—fatha menyn sur. Roedd yr un oglau ar hen sgert oedd gan mam erstalwm.

Pwyntiais at ddwy oren suddog, orennau gwaed, a chofiais yn sydyn am fy mreuddwyd anghynnes y noson gynt.

Mi wyliais y stondinwr yn eu rhoi mewn cwdyn plastig glas; telais amdanynt ac ymestyn i afael yn y cwdyn.

Yr eiliad nesaf syrthiodd dynes ganol oed a safai wrth fy ymyl ac a oedd yn ceisio tynnu sylw'r stondinwr, o dan bwysau'r dorf, a bu cryn stŵr wrth iddi gael ei helpu ar ei thraed ac wrth geisio darbwyllo'r bobl i ymatal rhag pwyso ymlaen cymaint, fod yna ddigon i bawb.

Edrychais eilwaith am fy nghwdyn bach glas. Dyna fo yn gorwedd ar y stondin wrth ymyl lle bûm yn sefyll cyn i'r ddynes gael ei chodwm.

Roedd ias ddisgwylgar yn cyniwair drwy'r dorf ar y platfform erbyn hyn. Roedd trên pedwar ar ei ffordd. Cydiais yn y bag a gwthio fy ffordd ymlaen.

Nabyddais Ilse ar unwaith. Roedd ymhlith y rhai cyntaf i ddod o'r trên o fewn ychydig fetrau i'r lle roeddwn i'n sefyll. Edrychai'n union fel lluniau a oedd gan Mam ohoni'i hun pan oedd hi fengach. Ni chariai ond pac bach amryliw ar ei chefn ac un arall mwy henffasiwn dan ei braich. Gwisgai dipyn bach yn fwy ceidwadol ac yn llai lliwgar na'r gweddill—doedd dim tamaid o ddenim ar ei chyfyl.

Doedd hi ddim mor siŵr ohonof i. Pan gerddais ati mi welais ryw fraw yn fflicran yn ei llygaid mawr gwyrdd ac edrychai fel pe bai am gymryd y goes. Falla nad oedd yna olwg rhy groesawgar arna i.

'Ilse. Fi ydi Dieter.'

Dyna ni'n cofleidio. Hithau'n emosiynol ddiffuant; finnau'n ffurfiol oddefgar. Roedd hi'n crïo. Roeddwn i'n gwylio cloc yr orsaf dros ei hysgwydd.

Cael a chael fyddai hi.

Roedden ni'n mynd at y car pan gofiais y cwdyn yn fy llaw.

'Ffrwythau rhyddid,' meddwn yn fuddugoliaethus gan ei gynnig iddi. Stopiodd a gosod ei bag henffasiwn ar y llawr. Falla y dylswn i fod wedi cynnig ei gario. Rhoes ei llaw yn y cwdyn plastig ac edrychodd arna i'n syn. Tynnodd y ffrwythau ohono.

Mi rythais yn hurt ar yr hyn a ddaliai yn ei dwylo—yn lle'r orennau gwaed melys, roedd yna ddau lemwn mawr, melyn.

US

WEITHIAU leiciwn i wybod sut mae o'n gweld y byd. Dwi wedi ceisio dychmygu sut ryden ni'n ymddangos iddo fo. Falla mai trwy ryw len ddŵr y mae o'n gweld y cyfan—fel mae rhywun yn gweld mewn pwll nofio. Siapiau aneglur mewn cwmwl o swigod. A dyna pam y bydd o'n edrych fel 'se fo'n nofio drwy'r amser.

Mae'n anodd gwbod. Dyden ni ddim yn gwbod ac mae'n debyg na fydd o byth yn gallu deud wrthon ni chwaith.

A hefyd, pan fydd o'n cael pwl, basa'n dda gen i wbod pa ofnau sy'n cael eu deffro ynddo fo. Fel y bore 'ma pan aeth un o'r jetiau 'na drosodd reit uwch ein pennau a ninnau'n cerdded yn ôl at y gwersyll. Mi wyddwn i ei fod o'n mynd i gael pwl achos mi welais i y wefus isa'n crynu a'r dyrnau'n dechrau fflapian fel adenydd iâr ac yna daeth y sgrech, yn isel i ddechrau ac yn codi'n uwch ac yn uwch fel tegell, nes bo'chdi am stwffio rhywbeth i'w geg er mwyn rhoi taw arno ac arbed dy glustia, ond fedri di ddim gwneud hynny, na fedri? Rhaid inni jest ddygymod â'r peth. Roedd pobl yn edrych arnon ni'n hurt—neu'n dewis peidio ag edrych o gwbl. Rhyw gyw afanc o beth ydi o iddyn nhw. Rhywbeth sy'n profi i bobl mor gyntefig yden ni. Rheswm arall dros ein hysio ni oddi yma mor fuan ag sy'n bosib.

Ond dydyn nhw ddim yn gwbod pa mor hardd mae'r bychan yn edrych pan fydd o'n cysgu, a welson nhw mo'r olwg o lawenydd ar ei wyneb o pan gafodd o dwtsh â'r oen llywaeth 'na yn y fferm wythnos ddiwetha.

Ond dydi o ddim yn gwneud pethau'n haws i ni. Dim o gwbl, myn uffarn i, ac mae golwg mor flinedig ar Zara erbyn hyn. Mae hi fel blodyn hardd sydd wedi blaguro, gwywo a darfod cyn ei hamser.

Mae'n oer heno. Ddim mor oer ag y basa hi adra yr adeg yma o'r flwyddyn chwaith, ond yn ddigon oer, serch hynny. Mae'r dail yn troi ar yr ychydig goed sydd o gwmpas y lle 'ma a does dim digon o wres yn y gwersyll. Mae Marika yn cysgu rhyngddon ni'n dau bob nos yn ei chôt fawr ac mae Josip yn cael ei gladdu o dan unrhyw beth y medrwn ni gael gafael ynddo fo—cotiau, blancedi, papur newydd. Rwy'n cofio gweld lluniau o bobl yn yr henwlad yn lapio eu traed mewn papur newydd ar ôl y rhyfel. Doeddwn i erioed wedi meddwl y baswn i'n gorfod pacio fy mab fy hun ynddo fo i'w gadw rhag rhewi.

Hyd yn oed pan oeddwn i'n hogyn bach yn byw yn y mynyddoedd a mam yn golchi dillad yn y pistyll, roedd yna ddigon o wres ar yr aelwyd a byddai gynon ni ddillad gwlân a lledr rhag yr oerfel bob amser.

Mi wnaeth rhai o'r hogiau dorri peth o'r coed yn un o'r planigfeydd diwrnod o'r blaen gan fod y cyflenwad glo wedi darfod. Buo 'na helynt y diawl wedyn. Coediwrs, heddlu, swyddogion ymfudo, gweithwyr cymdeithasol. Wnelo dwy goeden, be wnei di?

Dwi'n methu cysgu. Does gen i ddim wats, ond mae hi'n tynnu at dri'r bore, mae'n siŵr. Mae Zara yn effro hefyd, ond dyden ni ddim yn siarad ar adegau fel hyn bellach, neu ffraeo a dagrau fydd hi. O le mae'r holl ddagrau 'ma'n dod? Does dim pall arnyn nhw, nag oes? Mi yden ni'n ceisio eu cuddiad nhw rhag y plant, a rhag ein gilydd, ond maen nhw'n cronni yno drwy'r adag.

Dwi'n sgwennu hwn yng ngolau'r fflachlamp. Ryden ni'n lwcus o gael ystafell i ni'n hunain. Mae'r rhan fwya' o'r teuluoedd yn gorfod rhannu. Ond does neb eisio rhannu hefo Josip, beth bynnag. Mae'n well ganddyn nhw wasgu i mewn gyda llwyth o bobl eraill na rhannu hefo'r udfil o blentyn 'na sydd gan Theodor Vasloc.

Sgwn i a ddaw dydd pan fydda i'n gallu cyhoeddi'r sgribla 'ma, pan fydda i'n dwrnai enwog yn America, ella, fel y leiciai Zara imi fod. Fel y mae hi'n dal i gredu y bydda i, er gwaetha popeth. Dyddiadur Ffoadur. Mae 'na dinc i'r enw, 'does? Bywyd a Gwaith Theodor Vasloc, Twrnai Ffederal. Mae mor anodd dal y beiro yn yr oerni, dwi'n amau os bydda i'n medru darllen fy 'sgrifen hyd yn oed ymhen ugain mlynedd neu bryd bynnag.

Rhaid dal i obeithio er mai breuddwydion gwrach ydi pob dim ar y funud. Mae 'n bywyda ni fel 'se'n nhw'n sefyll yn eu hunfan, fel 'se rhywun wedi gwasgu botwm ar fideo. Ond, dydyn nhw ddim yn eu hunfan chwaith, achos maen nhw wedi newid y tu hwnt i bob adnabyddiaeth.

Rwy'n dal i gofio pethau am fywyd fel y bu, ond

dwi fel 'swn i'n gwatsiad rhyw bobl ddiarth drwy'r adeg.

Yn ddiweddar, dwi wedi dechrau hel atgofion am lawer iawn o bethau am fy mhlentyndod, ond dwi'n methu coelio mai fi ydi'r plentyn yn yr atgofion yma. Gwylio ffilm am rywun arall ydw i.

Roedd yn gynnes braf y diwrnod y daeth yr Hen Drefn i ben. Roeddwn i ar fy ffordd i seminar yn y coleg pan welais i Giorgio yn rhedeg fel peth gwirion dros y sgwâr, ei fol yn bownsio fel balŵn o'i flaen.

'Maen nhw allan. Mae'r hen foi wedi rhoi'r ffidil yn y to. Mae'r unben wedi marw. Hir oes i'r bobl!'

Tipyn o anticlimacs oedd hi mewn ffordd. Ar ôl methiant y streic a'r saethu yn ystod Gŵyl y Gweithwyr, roedd petha fel 'sen nhw wedi chwythu'u plwc. Roedd arweinyddion y Mudiad Democrataidd yn dal yng nghelloedd yr Heddlu Cudd. Ond mor ddisymwth â daeargryn ond eto mor ddi-stŵr a disylw â machlud ganol gaeaf, dyma'r hen Benadur yn llusgo llwyr ei din oddi ar ei orsedd gan adael crawniad drewllyd i'w lenwi gan afiaith y bobl—yn anffodus, ni feddyliodd neb ddadheintio'r briw yn gynta.

Ond fe wnaeth hi barti, myn diawl i! Roedd pawb yn feddw am fis. Roedd sïon di-ri ar gerdded. Rhyddid oedd yr allweddair. Amodau byw fath ag Awstria neu Swistir. Diddymu'r Heddlu Cudd. Buddsoddi mawr o'r gorllewin. Pawb yn perchen ar gar o fewn pum mlynedd. Dewis o orsafoedd radio a theledu. Adfer hawliau cenedlaethol. Glanhau'r tomennydd diwydiannol. Hawliau merched. Rhyddid crefyddol.

Annibyniaeth i'r rhanbarthau . . .

A dyna pryd y dechreuodd petha suro.

I ddechrau, mi aeth hi'n ffrwgwd am gynllun a lliwiau'r faner a'r enw ar yr arian newydd. Pitw, de? Ond dyna be sy'n cynhyrfu pobl yn y byd 'ma. Yna, aeth hi'n och a gwae am yr arfbais ar y pasport a chynnwys y llw i'r lluoedd arfog. Ac am iaith a chrefydd . . . ai-yai-yai!

Y nhw gafodd y llaw drech, wrth gwrs, fel yn nyddiau'r hen ymerodraeth, a chyn pen dim roedd petha'n edrych yn giami iawn ar ein pobl ni.

Dechreuodd ein ffrindia ddiflannu. Byddai lorïau'n cripian drwy'r strydoedd heb olau berfeddion nos. Bydden ni'n gwrando ar eu sŵn, fel pe bai rhyw greaduriaid ysglyfaethus yn ysgyrnygu a ffrwyno o gwmpas seiliau'r fflatiau.

Roedd Zara'n disgwyl Josip ac roedd yr eryr arni. 'D allai ddim dioddef gorwedd ar ei chefn ac felly roedd hi wedi codi am smôc pan glywsom ni sŵn lorri y tu allan i'r tŷ . . .

Mae Josip yn galw allan yn ei gwsg. Dwi'n codi i fynd draw at ei wely ac mae Zara hefyd ar ei heistedd ar unwaith. Rwy'n dweud wrthi am orwedd, mi wna i ddelio ag o. Mae'r bychan yn iawn. Dwi'n sychu'r glafoerion oddi ar ei geg ac yn rhoi ei law fach ddi-fawd o dan y pentwr o ddillad sydd arno fo. Mae'r llaw'n arw wedi'i chennu gan ecsema fel crafanc draig.

'Welon ni mo'n cartref ar ôl y noson honno. Fe'n gorchymynwyd i bacio ychydig o bethau angenrheidiol achos ein bod ni'n cael ein symud i diriogaeth newydd er mwyn sicrhau datblygaid ar wahân i'n pobloedd.

Beth am fy ngwaith? gofynnais i wrth inni gael ein hysio i gefn y lorri. Dywedwyd wrtha i'n ddigon sarrug bod yn rhaid bellach i bob darlithydd fod yn driw i grefydd a diwylliant cynhenid y wladwriaeth ac fel mewnfudwyr i'r wlad y byddai'n rhaid inni gael ail.

Mi wnes i brotestio fod 'nhad wedi ymladd hefo'r partisaniaid yn y rhyfel diwethaf a'i dad yntau ym myddin y brenin yn y rhyfel cyntaf a bod teulu fy ngwraig wedi bod yng ngharchar dros y Ffrynt Democrataidd.

Ond doedd ganddyn nhw affliw o ddiddordeb.

Buost ti'n aelod o'r Blaid Gomiwnyddol, meddan nhw, cyn y Chwyldro Cenedlaethol ac felly ni ellir dibynnu ar dy deyrngarwch i'r Pwyllgor Gwaredigaeth Cenedlaethol. Ond, doedd dim rhaid imi boeni, mi fyddai yna waith ar fy nghyfer yn y diriogaeth newydd.

Y diriogaeth newydd, wrth gwrs, oedd fy hen gynefin yn y mynyddoedd. Roedd cannoedd o'm cymrodyr a chwiorydd o'r dref wedi'u symud liw nos yn yr un modd. Dyden ni ddim yn bobl niferus iawn beth bynnag. Roedd y rhai oedd yn ein hebrwng yn arfog ac er na wisgent iwnifform, doedd dim amheuaeth eu bod yn aelodau o'r lluoedd diogelwch. Rhai ohonyn nhw'n gyn-aelodau o'r hen heddlu cudd, yn ddiau, jest wedi bwrw eu cotiau fatha nadroedd.

Mae bywyd yn y mynyddoedd yn dal i fod yn gyntefig. Mae mwy o asynnod na cheir i'w gweld hyd yn oed heddiw. Deil y gwragedd i olchi'u dillad yn yr afonydd ac mae bwyd yn eithriadol brin yn gaea'.

Roedd hi'n ganol yr haf pan gyraeddon ni. Roedd Marika wrth ei bodd yn cael chwarae yn yr afon a helpu'r gwragedd adag y cynhaea'. Llifai'r gwin tew, gwin mor dew y gelli ei gario mewn hances meddan nhw, ac am ychydig, er yn ddi-waith, yn ofnus a'n gobeithion yn gwywo, cawson ni ryw nerth arbennig o fod gyda'n gilydd fel pobl am y tro cynta ers y chwalfa ar ddiwedd y rhyfel mawr. Roedden ni'n gallu meddwi ar y nerth newydd yma. Bu yna sôn am wrthryfel hyd yn oed.

Ond daeth y gaea'n gynnar a bu'n rhaid inni fyw mewn ogofâu fel y gwnaethai ein cyndeidiau. Aeth Zara'n sâl ac ro'n i'n ofni ei bod hi'n mynd i farw. Ganed Josip dair wsnos yn gynnar pan oedd y tymheredd y tu allan yn ddigon isel i rewi'r olew ar gyfer y lampau a'r ager ar wal yr ogof y tu fewn.

Pan welais i'r aflwydd o fab oedd gen i gyda'i lygaid genau goeg a'i wefus folch, a'r golau gwael yn bwrw cysgodion dieflig dros ei gorff, mi deimlais yn ddig iawn.

Mi ymrestrais i'n syth yn y milisia a bûm i'n hyfforddi drwy'r gaeaf heb weld fy nheulu tan y gwanwyn canlynol.

Doeddwn i ddim yn hapus fel milwr. Roedd y bwyd yn wael, y tywydd yn uffernol, y swyddogion yn ynfyd o dwp a hunanbwysig ac mewn gwirionedd doedd gynnon ni ddim byd i hyfforddi hefo fo.

Meddyliwch o ddifri, cawson ni wersi ar sut i lorio awyren jet gyda charbin rhydlyd o'r pumdegau gan ryw hen gono â'i farf mor wyn â'r eira.

Pa mor bell y byddai'n rhaid inni danio o flaen jet yn trafaelio am naw can cilometr yr awr i ddod â hi i'r llawr? Roedd y peth yn hurt.

Roedd Swyddog Gwybodaeth hefo ni o'r enw Varaya. Nid dyna oedd ei henw iawn hi chwaith. Y si oedd ei bod hi o'r CIA neu Wasanaeth Diogelwch yr Wcrain, neu Wasanaeth Cudd Syria, hyd yn oed—deudwn i fod ganddi fwy o gysylltiad â'r gorllewin na'r dwyrain.

Mi fues i'n anffyddlon i'm gwraig hefo'r swyddog yma achos hi oedd yr unig beth hardd yn y diffeithwch mynyddig 'na. Ond doedd ei charu ddim yn brofiad hardd. Diwallu anghenion amrwd oedden ni'n dau, ond cododd yna ddrwgdeimlad ofnadwy rhyngddon ni o'r herwydd.

Un tro, mi geisiais i sôn wrthi hi am Zara a Josip, a'm siom a rhwystredigaeth:

'Dwi ddim eisio clywed dim am dy gachu di. Faswn i ddim yma oni bai 'na ti yw'r unig beth dan hanner cant yma sy'n werth agor 'nghoesa iddo fo. Os wyt ti eisio wylo yn ffedog dy fam, paid â dod ata i eto. Cer at y Dwmplen.'

Y Dwmplen oedd un o'r cogyddesau. Roedd hi yn ei thrigeiniau a roedd ei hunig fab wedi diflannu. Roedd hi fatha deryn corff o gwmpas y lle, a basa'r hogia a âi allan ar ryw gyrch neu'i gilydd yn mynd heb fwyd yn hytrach na gweld y Dwmplen rhag ofn 'u bod nhw ddim yn dod 'nôl.

Ond mi es i at Varaya eto.

Ac yna, un noson, mi ges i freuddwyd. Roeddwn i'n gwylio Marika a Zara wrthi'n nyddu carped fel y byddai pawb erstalwm, ac mi wyddwn i fod fy mab i yno hefyd er na fedrwn mo'i weld o. A throdd Zara ata i ac mi ddeffrois i dan grio.

Fore trannoeth mi wnes i hel 'y mhac a mynd yn ôl i lawr at Zara a 'mhlant . . .

Dwi'n edrych draw at lle mae Zara'n gorwedd rŵan. Pentwr tywyll ar y gwely, a Marika yn dynn yng nghromfach ymgeleddol ei chorff. Dydi hi ddim yn gwbod am Varaya hyd heddiw, er weithiau bydd y ffordd y mae'n edrych arna i'n awgrymu ei bod hi'n amau i rywbeth ddigwydd yng ngwersyll y milisia.

Erbyn y gwanwyn roedd y rhai mewn grym wedi blino ar ein herlid mor hegar, ac roedden nhw'n poeni mwy am fenthyciadau o'r gorllewin na phurdeb cenedlaethol a ballu, ond, serch hynny, doedd dim dyfodol i ni yn y wlad.

'Dwi eisiau mynd i America,' meddai Zara.

'Dyden ni ddim yn siarad Saesneg,' atebais i.

'Rwyt ti'n ei siarad yn iawn.'

'Dwi mond yn gwbod digon i ddarllen llyfrau'r gyfraith.'

'Ceith Josip ofal yn America. Maen nhw'n gallu gwella popeth yn America.

Mi ddechreuais i chwilio am fisas. Roedd gwneud fisas yn un o brif ddiwydiannau'r wlad erbyn hyn. Ond roedd yna rai bastads wrthi. Roedd yna foi yn y gwersyll yn y mynyddoedd—llafurwr amaethyddol. Doedd o ddim yn medru darllen. Mi gafodd y Groegiwr yma afael mewn pasport Almaenig iddo fo. Roedd yr hogyn wrth ei fodd, doedd? Ffwr' ag o i'r ffin. Roedd o yng ngharchar ar ei ben mewn chwinciad. Enw hogan oedd ar ei basport. Ulrike

Aichinger. Roedd yn rhaid iti fod yn ofalus.

Mi oedd yna bob math wrthi. Letroset a darn pum pfennig oedd gan un sgemiwr y bues i mewn cysylltiad ag o. Ond yn y diwedd, mi ges i afael mewn fisas i ni. Costiodd yn ddrud. Yn ddrud iawn, dyna pam does dim wats gen i na modrwy briodas bellach, ond ro'n i'n gwbod bod y boi'n iawn achos roedd yn casáu pobl y Pwyllgor Gwaredigaeth Genedlaethol yn fwy nag oedd yn caru pres achos roedden nhw wedi lladd ei fab yng ngharchar . . .

Mae'r oriau wedi llithro heibio tra dwi wedi bod wrthi'n pendroni uwchben y sgriblau 'ma. Dwi ddim yn amau nad ydw i wedi cysgu am ychydig. Mae batri'r fflachlamp yn isel, ond mi fedra i weld goleuni cynta'r wawr yr ochr draw i'r mynyddoedd erbyn hyn. Weithiau bydd y goleuni'n taro gwythïen o gwarts yn y graig ar y mynydd agosa aton ni ac mi fydd hi fel 'se pelen o dân wedi ffrwydro yn y cwm.

Mae'r awyrennau allan yn gynnar y bore 'ma ac yn isel iawn. Dôn nhw allan o'r haul. Mae'r awyr i'r gorllewin uwchben y môr yn dal i fod yn ddigon tywyll i weld cochni'r injan. Maen nhw'n edrych fel llongau gofod o blaned arall. Dwi'n leicio'u gwylio nhw. Does dim byd harddach a mwy gosgeiddig o blith holl fecanweithiau dyn nag awyren ryfel—heblaw am long hwyliau, falla.

Taith saith gan cilometr mewn bws aeth â ni i'r Almaen. Roedd hi'n uffernol. Doedd Josip ddim yn gallu dygymod â thrafaelio o gwbl. Roedd yn sâl dros y tri ohonon ni a phob tro y basa'r bws yn stopio mewn tagfa, basa'n cael pwl ac roedd y bobl eraill ar y bws wedi troi'n gas a mynnu ein bod ni'n mynd oddi arno fo os na fedrwn ni gadw'r hyllgi bach swniog yn dawel.

O'r diwedd, fe gysgodd Josip ac roedd yn dal i gysgu pan groeson ni'r ffin. Erbyn hynny, roeddwn i wedi blino gormod i boeni ynglŷn â'r fisas, ond roedd y boi wedi anrhydeddu'i gontract. Roedd yna sawl un ar y bws a gafodd eu dal hefyd.

Roedd rhai o bobl yr Almaen yn garedig iawn i ni. Buon ni'n aros mewn hen farics lle byddai'r Sofietiaid yn gwersylla cyn yr aduno. Ar ôl y gwersyll a'r ogofâu lleuog yn y mynyddoedd roedd y barics fatha'r Hilton. Roedd y dynion a'r merched a ddaeth i mewn i'n helpu ac i gymryd manylion yn glên iawn, yn effeithlon ac yn gymwynasgar. Ond roedd rhywun yn synhwyro'u bod yn prysur gyrraedd pen eu tennyn a bod eu goddefgarwch gyda'r holl sefyllfa o dan straen uffernol.

Roedd pethau'n mynd yn fwyfwy anodd yno bob dydd i bobl fatha ni. Doedd ein cenedl arbennig ni ddim yn cael eu cyfri fel 'pobl dan ormes', ac felly roedd yn annhebyg y byddwn ni'n cael statws ffoaduriaid a chyn bo hir y byddwn ni'n cael ein hunain ar awyrennau ar ein ffordd yn ôl i'r henwlad. Roedd sipsiwn Romania eisoes wedi mynd.

Roedd y dyddiau pan fyddai'r Almaen yn agor ei ffiniau i bawb wedi hen fynd heibio. Roedd y prosesu wedi cyflymu. Roedden nhw'n cymryd olion bysedd rhag ofn i rywun wneud mwy nag un cais am statws ffoadur.

Y tu allan i'r barics, hongianai rhyw naws fygythiol yn yr awyr, yn gyffyrddadwy bron.

Hen ysbrydion yn aflonyddu, mae'n rhaid.

Arferai lein y rheilffordd a âi heibio i'r barics fel gwythïen farwaidd gario'r trueiniaid i un o wersylloedd angau Hitler. Ychydig iawn o drafnidiaeth a welid arno bellach heblaw am ddydd Sul am ryw reswm.

A ryw fore dydd Sul, dyma fi'n mynd â Josip i wylio'r trenau. Er y byddai'n arfer sgegian pan glywai unrhyw sŵn mawr, roedd gwylio'r trenau, am ryw reswm, yn peri iddo wenu. Ro'n i'n leicio 'i weld o'n gwenu.

Roedd sawl un wedi pasio a Josip yn tuchan chwerthin bob tro. Yna, wrth i un locomotif, shynter bach, rolio'n ara' deg heibio inni, gan wthio rhibyn hir o wagenni gwartheg o'i flaen, mi welais i'r gyrrwr, dyn main, tal mewn gwth o oedran, yn ein gwylio. Roedd trwyn fel pig eryr ganddo a llygaid a oedd wedi'u suddo'n ddwfn yn ei ben. Llithrodd y trên yn ei flaen a phan oedd cab yr injan union gyferbyn â ni, dyna'r gyrrwr yn tynnu ei fys mewn ystum diamwys dros ei wddf. A'r tro yma, yn lle chwerthin, cafodd Josip bwl.

Mi gafodd Josip archwiliad meddygol trylwyr a dywedwyd wrthon ni nad oedd yna fawr ddim y gellid ei wneud i leddfu'i gyflwr ac na fyddai'n byw yn hir—hyd at ryw ddeg oed, falla.

Roedd hynna'n ergyd i ni'n dau. Roedd Zara wedi caru'r plentyn o'r eiliadau cynta ac wedi rhoi'n ddiball o'i hamser i swcro'r bychan. Doedd f'ymateb inna ddim wedi bod mor raslon, wrth gwrs, ond gyda threigl amser, ro'n innau hefyd wedi ymserchu yn yr adyn bach annwyl a phan glywais i 'i fod yn mynd i farw mor fuan, mi dorrais i i lawr yn y feddygfa dan igian crio'n hollol ddigywilydd o flaen y doctor a'r nyrsys a phawb. Crio achos doedd yr hogyn ddim hyd yn oed yn deall be fasa'i dynged—fatha anifail. Crio oherwydd na fasa byth gynon ni ddigon o amser i wneud cartre go-iawn iddo fo a chynnig bach o gysur iddo ac mai ar ffo fasan ni hyd y diwrnod y basa'n marw.

Llwyddais i gael gwaith yn trin gardd rhyw hen ledi a fu'n ffoadures ei hun ar ddiwedd y pedwardegau ac a oedd wedi methu cyrraedd y sector Americanaidd. Roedd hi'n llawn cydymdeimlad a rhoddodd hi dipyn o arian imi a chyfeiriad perthnasau iddi hi yn America rhag ofn ein bod ni'n cyrraedd yno ryw ddydd.

Er ein bod ni'n dal i fyw mewn ansicrwydd, gan wybod y gallwn ni gael ein gorfodi i fynd adra unrhyw ddiwrnod, roedd petha'n edrych yn well na buon nhw ers meityn. Roedd ein safon byw'n uwch bron na phan o'n i'n gweithio yn y brifysgol. Roedd Marika'n edrych yn fwy heini ac yn ennill pwysau. Roedd rhywun yn dod i roi therapi i Josip i helpu'i goesa bach gwan nes ei fod o'n medru simsanu ar ei draed am ychydig eiliadau. Ro'n i'n cynilo'n galed, yn dysgu Almaeneg a Saesneg ac yn meddwl y baswn i ddim yn meindio setlo yn Yr Almaen tasen ni'n cael cyfle. Ac yna daeth y llosgi.

Ro'n i wedi picio draw i chwilio am berthynas rhywun o gartre yn y dre' nesa lle y gwyddwn i fod yna griw go lew o hogia ni'n aros. Methais i gael hyd i'r boi ro'n i'n chwilio amdano fo ond mi ges i andros o groeso gan y lleill a buon ni'n lyshio a janglo tan berfeddion. Doedd eu lle nhw ddim cystal â'n lle ni. Roedden nhw'n gorfod dygymod â rhyw hen fflatiau drafftiog, drewllyd a rhannu wyth neu naw i'r ystafell mewn mannau.

Ro'n i'n cysgu'n sownd ar ôl y frâg gartra pan ges i 'neffro gan un o'r hogia a chael bod y lle ar dân. Roedden ni ar y seithfed llawr, a'r tu allan roedd yna gannoedd o bobl ifainc wedi ymgasglu ac yn pledio'r lle hefo brics a bomiau petrol. Roedd yna ddihangfa dân yn y cefn ond roedd tua hanner cant o'r diawliaid yma'n gwitsiad hefo pastynau a mwy o frics a ballu wrth waelod y grisiau.

Doedd gynon ni ddim dewis. Naill ai ffrïo yn y fflatiau neu bod ein pennau'n cael eu cracio gan y sglyfaeth yma wrth waelod y ddihangfa dân. Mi allwn ni weld fod yr heddlu wrth law, ond ddeudodd yr hogia na fasa'r rheina'n codi'r un bys i'n helpu ni, a deud y gwir 'u bod nhw'n fwy tebyg o ymuno yn yr hwyl. Roedd gwragedd a phlant gan rai o'r hogia a'r rheini wedi colli'u pennau'n lân. Roedd y grisiau'n gul ac yn ysgwyd fel llong mewn storm, ac felly doedd dim ffordd i ni fedru cwffio'n ôl wrth gyrraedd y gwaelod. Bu'n rhaid inni ffoi fesul un mewn llinyn fel ŵyn i'r lladdfa.

Mi fues i'n lwcus. Jest pan gyrhaeddais i waelod y grisiau, dyma haid o bobl wrth-ffasgaidd yn cyrraedd. Merched a dynion mewn oed yn gwisgo sbectol oedden nhw fwya' ac yn fawr o broblem i'r Nazïaid ifainc, ond o leia' dynnon nhw sylw'r colbiwrs ar waelod y grisiau fel na ches i gymaint o stîd â rhai.

Pan gyrhaeddais yn ôl yn y barics drannoeth, roedd hanes y noson gynt yn dew drwy'r lle. Roedd yna ymosodiadau wedi bod ar ffoaduriaid estron hyd a lled Yr Almaen ac roedd yna nifer wedi marw. Roedd argyfwng cenedlaethol wedi'i gyhoeddi ac roedd yna gwffio wedi bod yn y Senedd rhwng y Dde a'r Chwith . . .

'Ty'd yn ôl i gynhesu, Theo.'

Mae llais Zara'n llawn cwsg. Dwi'n stwmpio fy sigarét ac yn dod yn ôl o'r ffenest. Dwi'n gorwedd wrth ei hochr gan gymryd gofal i beidio â deffro Marika. Mae llaw Zara yn mwytho fy nhalcen ac yna'n mynd yn llipa wrth i gwsg ailafael ynddi. Mae oglau hen a mall ar ein dillad ond galla i ddal i glywed oglau cynnes fy ngwraig wrth f'ochr. Mae'i hanadl yn cosi fy nhrwyn, yn felys ac yn llaethog fel anadl plentyn. Mae cwsg wedi llacio'r rhychau gofidus, cynamserol o gwmpas ei llygaid. Dwi'n codi'i llaw oddi ar fy nhalcen ac yn ei rhoi dan y dillad. Mae Marika'n ochneidio ac yn hanner agor ei llygaid ond mae cwsg yn ei sugno'n ôl cyn iddi gael cyfle i ddweud dim.

Bu hanesion erchyll yn ein cyrraedd ni o bob cyfeiriad. Roedd yna sôn fod rhywrai wedi ymosod ar bobl a oedd yn preswylio yn ein gwersyll ni. Roedden ni'n teimlo'n hollol ddiymgeledd a diamddiffyn. Doedd gan yr heddlu ddim diddordeb yn ein diogelwch, a doedd y diawliaid ar y tu allan ddim yn mynd i gael eu rhwystro gan yr ychydig swyddogion oedd gan y UNHCR yn y gwersyll.

Roedd ofn ar bawb. Mwy o ofn na fu arnon ni gartre' hyd yn oed. Roedden ni allan o'n cynefin, heb 'nunlle i droi. Bu'n rhaid imi stopio mynd at yr hen ledi i arddio hyd yn oed achos roedd cymaint o ymosodiadau gefn dydd golau ar bobl fatha ni.

O'r diwedd, daeth gwaredigaeth. Ers sawl blwyddyn

bellach, roedd yna system gwotâu newydd mewn grym yng ngwledydd y Gymuned Ewropeaidd. Gyda phum miliwn ar hugain o bobl ar symud, dechreuwyd ymdrin â nhw yn yr un modd â gweddill gwarged y farchnad. Cawson ni hyd yn oed ein pwyso a'n mesur fel 'sen nhw'n graddio da byw. Wyddon ni ddim i ble'r oedden ni'n cael ein hanfon. Dim ond ar ôl mynd ar y bws y cawson ni wybod.

Prydain oedd pen draw y daith. Roedd Zara wedi'i llonni drwyddi. Basa'n haws cyrraedd America o Loegr.

Roedd yn gas gen i symud ymhellach i'r gorllewin. Roedd pob gewyn yn fy nghorff yn hiraethu am gael mynd adra erbyn hyn, i droi'r cloc yn ôl, i ddeffro o'r hunllef a dychwelyd i'r fflat bach yn y brifddinas lle y gallen ni glywed synau'r afon, pobl y cychod yn gweiddi, traw cysurlon y peiriannau a gwichian hwyliau'r cychod pysgota. Gallwn glywed yr ogla'n fyw yn fy ffroenau—yr olew a'r tar, pysgod a'r tawch meddal o'r bragdy . . .

Ond fiw inni ddychwelyd. Padell ffrïo i'r tân fasa hi—mwy o erledigaeth a drysau ar gau. Chawn i fyth fy swydd yn ôl yn y Brifysgol a gallwn ein gweld ni'n cardota ar y cei ac yn y farchnad, Marika'n dangos ei brawd bach anabl fel rhyw waddol o'i chyflwr truenus.

Am y tro, mi fyddai'n rhaid inni rolio fel cerrig rhydd ar hyd ffyrdd Ewrop fel y gwnaethai cymaint o'n blaenau, yn agored i gael ein lluchio i bellafoedd daear, i gael ein chwalu oddi wrth ein gilydd, neu i gael ein teilchio fel us rhwng meini melin yr oes.

Ac felly, rydyn ni yma, yng ngorllewin Lloegr, mewn lle o'r enw Cymru, mewn hen wersyll arall rhwng môr a mynydd ymhell o bob man. Ryden ni'n saffach fan hyn. Does dim digon o bobl yn byw yma i achosi llawer o helynt. Mae pobl y wlad yma yr un fath ag ymhob man. Rhai'n cydymdeimlo; rhai'n ein casáu ac yn ein defnyddio fel bychod dihangol i bob problem sydd ganddynt; y mwyafrif, fodd bynnag, mor hunanfodlon eu byd, yn ein hanwybyddu.

Dywedir mai Celtiaid sy'n byw yn y rhan yma o Loegr. Celtiaid oedd yn arfer byw yn yr henwlad. Dwi'n cofio gweld eu hanes yn amgueddfa'r Brifysgol. Buon nhw'n symud ar hyd yr un ffyrdd—hyd yn oed os mai awyren a ddaeth â ni yma o Frankfurt. Pobloedd Ewrop ar dramp, tramp, tramp . . . Dwi'n dechrau cysgu o'r diwedd. Yn fy mreuddwyd, mae Josip yn ddyn ifanc ac yn cerdded yn braff, ei wefus folch wedi'i chyfannu ac mae'i fodiau ganddo. Mae o'n codi bawdyn arna i wrth imi redeg ato fo i'w gofleidio . . .

Mae taran yn ysgwyd y cwt. Dwi'n agor fy llygada. Mae Zara'n rhythu arna i mewn braw, mae Marika yn cwyno rhwng cwsg a deffro ac o'r crud di-lun mae sgrech yn codi wrth i'r awyren ryfel fwrw'i chysgod anwel dros ein breuddwydion i gyd.

Siqo'r Swigen

NID yn aml y gwelir ficer yn ei wenwisg yn llechu y tu ôl i garreg fedd er mwyn defnyddio foda-ffôn. Ond dyna'r union olygfa a wynebai Gwenda Bracegirdle wrth iddi ddod i mewn i fynwent yr eglwys fach hynafol ar gyrion tiroedd gwlyb Norfolk.

I ddechrau, oherwydd bod golwg mor lletchwith ar y dyn wrth iddo simsanu yn ei gwrcwd, ei law yn dynn am ymyl y garreg, roedd Gwenda yn meddwl ei fod naill ai'n sâl, neu wedi'i saethu, neu'n feddw.

Roedd hi ar fin mynd ato i'w gynorthwyo pan sythodd y clerigwr, gan wthio ariel y ffôn i lawr a martsio dan regi i gyfeiriad y festri. Doedd o ddim fel pe bai wedi sylwi ar yr ystlum bach o ddynes a oedd newydd ddychlamu drwy borth y fynwent, a chaeodd ddrws y festri'n glep gan adael yr ymwelydd syn yng nghanol y meini.

Safodd Gwenda mewn tipyn o benbleth am ychydig rhag ofn y deuai'r ddrychiolaeth yn ei hôl. Ond arhosodd y drws ynghau ac felly o'r diwedd magodd ddigon o blwc i ddechrau crwydro'n ara' deg o gwmpas y fynwent gan graffu'n fyr ei golwg ar yr arysgrifau coffa.

Roedd yr eglwys mewn man godidog ar gnwc o dir yn edrych dros glytwaith o lynnoedd a chamlesi.

Roedd y rhwydwaith yma'n anweladwy o'r gwastatir roedd Gwenda newydd deithio drwyddo, ond o fan hyn gallai weld y *Broads* yn eu gogoniant, yn ymestyn draw at rimyn o dwyni tywod ymhell i'r gogledd-ddwyrain. Gwlad lefn heb fawr o goed yn tyfu ynddi, ond yma a thraw gwthiai tyrau eglwysi i'r awyr lwydlas, fel bachau deintur yn dal carthen ddiferol.

Craffodd Gwenda i'r pellter. A allai weld y môr? Roedd yn rhy bell i'w llygaid bach gwan, ond tybiai ei bod yn medru synhwyro rhyw arlliw mwy tywyll na'i gilydd yn erbyn yr awyr y tu hwnt i'r twyni. Aeth gwefr drwyddi. Roedd gweld y môr yn bwysig iddi heddiw.

Ar bererindod roedd Gwenda. Roedd newydd ymddeol yn gynnar o yrfa ddidramgwydd, ddiddigwyddiad yn y gwasanaeth sifil. Yn hanner cant ac un oed, roedd Gwenda yn ddigymar, yn ddideulu, ac yn unig. Ond doedd hi ddim yn ymwybodol o'r pethau yma ar hyn o bryd achos roedd ei holl fryd bellach ar ysgrifennu, ar lenora neu lenydda neu beth bynnag rydych am alw'r weithred o leddfu chwiw greadigol a cheisio ennill arian a bri drwy gyhoeddi geiriau ar bapur.

Roedd Gwenda eisiau bod yn awdures ac roedd yr ysfa yma uwchlaw unrhyw brudd-der neu hunandosturi a allai ddeillio o'i hunigrwydd.

Cymraes oedd Gwenda. Disgynydd i ryw asiant tir a symudodd i Gymru yn y ddeunawfed ganrif oedd ei thad, yn perchen, cyn ei farw disymwth chwarter canrif yn ôl, ar fusnes carpedi a dodrefn mewn tre glan-môr yn y gogledd. Perthynai ei mam i un o gyff tywysogaidd Gwynedd a oedd wedi dal gafael yn eu Cymreictod a'u statws lleol, os nad yn eu holl gyfoeth materol, ers cwymp y Llyw Olaf. Prifathrawes ysgol gynradd oedd hi ac roedd hithau hefyd wedi marw'n sydyn ryw bum mlynedd ar ôl ei gŵr.

Yn unig blentyn, cafodd Gwenda ei magu mewn tŷ gwell na'i gilydd a sgwatiai'n bendrwm ar benrhyn coediog ar lannau aber gosgeiddig.

Hyd y gwyddai, roedd Gwenda wedi cael plentyndod hapus. Ond hoced yw gwynfyd plentyndod, wrth gwrs. Sensoriaeth lem gyda'r ofnau a'r ansicrwydd, y rhwystredigaeth a'r myrdd siomedigaethau wedi'u selio o dan lechfaen disyfyd yn y cof nes bydd rhyw drawma annisgwyl neu hunanarchwiliad difeddwl yn ailagor ceudwll yr arswyd a aeth yn angof.

Serch hynny, gallai Brenda gofio iddi dyngu llw pan oedd hi'n ddeg oed tra oedd yn gorwedd ar ei chefn yn y rhedyn uwchben y môr ger ei chartref, na fyddai hi byth yn gadael y fro hudolus lle y cafodd ei geni a'i magu.

Flwyddyn yn ddiweddarach, beth bynnag, fe'i cafodd ei hun mewn ysgol breswyl i enethod ar y Gororau a chyfyngwyd ei hamser gartref i wyliau ysgol yn unig. Roedd holl brofedigaeth yr ymadawiad annhymig yma—y dagrau, y strancio a'r unigrwydd llethol, y brad nad oedd ganddi'r geiriau i'w esbonio, wedi'i sychu'n lân o'i chof. Yn wir, atgof braf oedd ganddi o'i dyddiau ysgol.

Ac erbyn hyn, roedd cymaint ag ugain mlynedd wedi nofio heibio heb iddi ddychwelyd o gwbl i'w milltir sgwâr.

A dweud y gwir, treuliasai Gwenda lawer iawn

o'i bywyd ar ei chefn. Meddwl a myfyrio a thafoli a breuddwydio oedd ei phethau hi yn hytrach na gweithredu. Oedd, roedd wedi cael cariadon, wedi teithio, wedi profi tipyn o bopeth, ond eto roedd Gwenda ar ei hapusaf ar ei phen ei hun yn hel meddyliau. Buasai'n ddigon bodlon ar wneud hynny o fore gwyn tan nos ar hyd y blynyddoedd, nes bod hanner canrif, yn ddiarwybod iddi bron, wedi'i goddiweddyd heb fod ganddi fawr o bwythau i'w dangos ar dapestri di-liw ei bywyd.

Penderfynodd ei bod yn bryd iddi godi oddi ar ei chefn er mwyn gweld a fedrai greu rhywbeth o'r holl stwna meddyliol yma. Siawns fod yna rywbeth yno y medrai ei ddefnyddio. Ond mi oedd yna un rhwystr.

'Hello there! I say. It's locked, I'm afraid.'

Erbyn hyn roedd Gwenda wedi cyrraedd y fynedfa i'r eglwys ac yn ceisio troi'r ddolen drom i godi'r glicied. Neidiodd mewn braw gan nad oedd wedi clywed sŵn y ficer yn dynesu.

'Yes. I'm sorry. Vandals. Damn nuisance, really . . .' meddai â'i wynt yn ei ddwrn.

Wel, meddyliodd Gwenda, waeth iti agor o imi, yntê, washi?

Ond ni ddangosodd y clerigwr unrhyw awydd i ddatgloi'r llan iddi. Yn ei law, daliai gês bach lledr ac roedd yn amlwg ei fod ar bigau eisiau mynd.

'Look I'm in a hell of a rush today . . . Can you come back tomorrow? I'll have a bit more time then.'

Atebodd Gwenda yn gadarnhaol a threfnwyd iddi alw yn y ficerdy tua dau o'r gloch brynhawn trannoeth. Yna heb air o ffarwél trodd y ficer ar ei sawdl a'i heglu hi am y porth.

Gwyliodd Gwenda ef yn mynd. Roedd hi'n ceisio bod yn fwy sylwgar y dyddiau yma, er mwyn hogi'i synhwyrau fel llenor. Gan mwyaf, byw rhwng dau olau a wnâi heb sylwi ar ddim byd y tu hwnt i'w gwaith a'i ffantasïau—a phe baech chi'n gofyn iddi beth oedd swm a sylwedd y rheini go brin y caech ateb boddhaol ganddi. Doedd y ffantasïau byth yn glynu yn ei chof. Swigod sebon oedden nhw yn llawn lliwiau'r enfys ond yn darfod ar amrantiad wrth godi i'r wyneb.

Dyna un rheswm pam ei bod wedi dod ar swae i Norfolk, i ddal y swigod a'u cymhathu â'r byd o'i chwmpas. Ond wrth iddi wylio pen y ficer yn dowcio mynd ar hyd wal y fynwent, sylweddolodd nad oedd wedi cymryd bron dim i mewn mor belled â sut olwg oedd arno. Roedd hi'n rhyw amau mai ychydig yn iau na hi ydoedd, ond fedrai hi byth fod yn siŵr. Roedd ei meddwl eisoes ar grwydr ond ni wyddai i ble.

Byddai eisiau mwy o ddisgyblaeth yfory.

Fel y digwyddodd pethau, doedd dim rhaid iddi aros tan hynny cyn gweld y clerigwr gwib eto. Y noson honno eisteddai Gwenda ym mar y gwesty gan hanner darllen llyfr a chan ryfeddu at ddoniau diymdrech ei awdures. Nid bod y llyfr yn hawlio'i holl sylw. Roedd hi hefyd yn ceisio, mewn ffordd ddigon amlwg, gil-lygadu a chlustfeinio ar y bobl eraill yn y bar yn y gobaith o daro ar rywbeth a fyddai'n gatalydd i'w nofel neu'i stori gyntaf.

Roedd y teledu uwchben y bar yn dangos haid o bethau ifainc byrwalltog yn llewys eu crysau'n coethi dros lawr y Gyfnewidfa Stoc wrth i argyfwng newydd ysgwyd y byd ariannol. Sgandal ryngwladol yn ymwneud ag elusennau ffug, arian cyffuriau, yr IRA a rhywbeth clyfar hefo cardiau credyd a oedd wedi sugno sawl banc cynilo, gwleidydd, esgob a dyn busnes i ryw dwll du economaidd.

Doedd mynychwyr y bar ddim fel pe baent yn cael eu poeni'n ormodol gan y creisis ariannol yma, ond, yn sydyn, gwelodd Gwenda fod yna un person yng nghysgod cornel y bar a wyliai'r rhaglen yn astud dros ben. Plygodd y ffigur yn ei flaen i godi'i beint oddi ar y cownter, a gwelodd Gwenda mai'r ficer oedd yno.

Chwaraeodd â'r syniad o fynd draw ato, ond doedd ganddi ddim awydd sgwrs mewn gwirionedd. Roedd y felan yn dechrau treiddio i'w hisymwybod. Roedd brwdfrydedd y misoedd diwethaf yn dechrau pylu a'i huchelgais llenyddol yn edrych yn bitw ac yn anhygyrch erbyn hyn.

Ochneidiodd a chaeodd ei llygaid. Gostyngodd ei llyfr i'w harffed a rhedeg ei bysedd dros y tudalen agored fel y gwnâi dyn dall yn darllen tudalen o *braille.*

O, oedd. Roedd yr ysbrydoliaeth yno. Roedd hi jest â thorri'i bol eisiau ysgrifennu. Dyna'r unig ronyn o grefft greadigol a oedd ganddi. Ond beth am yr ysbrydolrwydd? A oedd hi'n gr'aduras ddigon 'ysbrydol' neu ddigon eneidiog i ymgymryd â'r dasg? A oedd hi'n meddu ar y synwyrusrwydd angenrheidiol i ddyrchafu'r rhygnu beunyddiol a welai o'i chwmpas yn gelfyddyd ddarllenadwy, i droi gwrysg crimp ei hymennydd yn wenfflam?

Roedd y diffyg ysbrydolrwydd yma'n ei phoeni'n

fawr, a hwn, yn anad dim oedd y rhwystr a'i hataliai rhag bwrw ati. Roedd wedi cloddio ym mhob twll a chornel ar hyd y blynyddoedd mewn ymgais i gael hyd iddo, ond daliai i weld bywyd fel darn cydadrodd diflas ac undonog.

O'r teledu uwch y bar, gallai glywed wylofain ffoaduriaid Bosnia a llais digofus doctor a fu'n gorfod rhoi plant dan lawfeddyginiaeth heb anesthetig. Ceisiodd gau'i chlustiau i fwystfilod rheibus ei hoes—newyn, rhyfel, twyll a chelwydd. Amgenach o lawer oedd y swigod sebon—ond roeddent mor ddisylwedd o'u cymharu â'r realaeth hegar yma.

Ar brydiau, teimlai Gwenda'i hun yn hofran ar ymyl y dibyn wedi'i lapio mewn swigen frau o'i chreadigrwydd ei hun. A phe bai'n byrstio a hithau yn syrthio, difancoll a'i disgwyliai.

Ar y llaw arall, teimlai pe medrai ddod o'r gragen anysbrydol yma y byddai'n gallu cyrchu at ryw wynfyd diderfyn. Ond er mwyn cyrchu at y gwynfyd roedd yn rhaid wrth dangnefedd i sadio'r meddwl a thrwytho'r synhwyrau.

Roedd wedi dod i'r ardal yma ar drywydd y tangnefedd hwnnw, ond hyd yn hyn doedd y strategaeth ddim fel pe bai'n dwyn ffrwyth. Roedd y gwynfyd yn llithro o'i gafael a'r swigen yn dal i hofran uwch y dibyn.

Agorodd ei llygaid a gwelodd y ficer yn diflannu trwy'r drws. Roedd y teledu'n dangos trychfilod pric Somalia.

Affwysedd problemau dynoliaeth yn drech nag o, meddyliodd Gwenda. Anghenion ysbrydol y plwyf yn galw, meddyliodd wedyn. Ond, rywsut, roedd hi'n teimlo ei bod hi siŵr o fod yn poeni'n fwy am faterion ysbrydol na'r clerigwr di-ddal yma.

Dwyshawyd ei hamheuon am ei fuchedd wrth iddi arafu'r car y tu allan i'r ficerdy am ddau o'r gloch y prynhawn canlynol.

Roedd hi wedi treulio'r bore yn siopa yn Norwich, gan fanteisio ar anrhaith y dirwasgiad i brynu dillad label am y nesaf peth i ddim. Cymerai Gwenda gryn ofal wrth wisgo ac ymbincio. Edrychai'n iau na'i hoedran ac fe wyddai fod ganddi wên ddeniadol a wawriai bob amser yn ei llygaid. Dyna pam bod yn gas ganddi wisgo'i sbectol. Roedd hi'n ddynes dwt, drwsiadus ond roedd pâr o glustiau doniol, llygaid soser a rhyw osgo ychydig bach yn onglog yn atgoffa rhywun o un o'r mwncis blewog 'na wrth edrych arni'n sgathru o siop i siop.

Roedd y prynu a'r gwario wedi codi'i chalon ac roedd haul hydref digon dihyder wedi mentro dangos ei wyneb am awr neu ddwy tra oedd hi yn y dref, ond erbyn iddi gyrraedd canol y wlad, roedd niwl gwlyb wedi setlo dros bob man a'r gwynt yn troi'n feinach bob munud.

Hyd yn oed yn yr oes ddifraw sydd ohoni y mae yna rai pethau sy'n dal i edrych yn od—ac mae Ferrari coch wedi'i barcio ar rodfa ficerdy ymhlith y rheini.

Parciodd Gwenda ei Metro yng nghynffon y sleifar coch a chamodd yn betrusgar ohono. I ddechrau roedd hi'n amau mai car y ficer ei hun oedd hwn, ond gwelodd Sierra lliw copr yn y garej wrth y tŷ a phenderfynodd mai un o garedigion cyfoethog yr eglwys oedd wedi galw heibio. Un o droedigaethau'r wythdegau. Adladd ysbrydolrwydd Thatcheriaeth.

Roedd ffenestri'r Ferrari wedi'u duo ac roedd hynna wedi aflonyddu arni braidd. Roedd rhywbeth yn annymunol o gynefin yn y sefyllfa—fel breuddwyd ar dorri. A oedd rhywun yn ei gwylio o'r tu mewn i'r car? Yn groen gŵydd drosti, cerddodd at ddrws y tŷ a gwasgodd fotwm y gloch. Chlywodd yr un sŵn ac ar ôl disgwyl yn barchus am ryw hanner munud, fe'i gwasgodd drachefn. Dim sŵn eto. Doedd dim ystwffl ar y drws ac felly tapiodd yn ddiymadferth gyda'i migyrnau yn erbyn y paneli. Ar ôl curo'n daerach heb gael ateb, penderfynodd ei bod yn gwastraffu'i hamser a throdd i fynd yn ôl at y Metro.

Wrth basio un o ffenestri'r llawr gwaelod, aeth chwilfrydedd yn drech na hi a chan gywasgu'i thrwyn yn erbyn y gwydr a chysgodi'i llygaid rhag yr adlewyrchiad, ceisiodd ddehongli beth oedd y tu hwnt i'r nets. Gan ei bod yn gorfod gwisgo sbectol i yrru ac yn ei syndod o weld y Ferrari heb eu tynnu, gallai weld yn weddol glir.

I ddechrau, tybiai fod yr ystafell yn wag. Yna, gwelodd ddau ffigur yn plygu dros fwrdd yn y gornel bellaf. Roedd cês go nobl ar y bwrdd o'u blaenau a gallai Gwenda weld yn glir sut yr oeddent yn cyfrif wadiau o arian papur ac yn eu gosod yn y cês. Roedd ei holl reddfau'n dweud wrthi y dylai ei bachu hi oddi yno, ond oedodd fel y gwnâi *voyeur* yn gwylio pâr o gariadon, ac yn anochel cododd un o'r ffigurau wrth y bwrdd ei ben. Doedd dim eisiau anogaeth bellach, baglodd Gwenda ei ffordd yn ôl dros y gro at y Metro yn ei sodlau uchel. I mewn â hi i'r car dan grynu a thaniodd yr injian. Saethodd y car bach wysg ei gefn i lawr y rhodfa fer a arweiniai at y ficerdy. Bron iddi daro'r gwrych yr ochr draw i'r ffordd a hitiodd y brêc yn galed, daeth ei throed oddi ar y cydiwr a herciodd y cerbyd yn stond.

Tra oedd hi'n ymbalfalu i'w aildanio, gwelodd ddyn yn gadael y tŷ. Roedd y ficer yn sefyll yn y drws a golwg bryderus iawn ar ei wyneb.

Rhewodd bysedd Gwenda ar yr allwedd wrth i'r dyn arall gerdded yn frysiog at y car coch. Beth bynnag am ei hawydd i hogi'i phŵerau arsylwi, roedd holl olwg ac ymarweddiad y dieithryn yma'n serio'u hun ar ei meddwl.

Roedd yr wyneb yn edrych fel rhywbeth wedi'i naddu o'r graig, fel masg arddulliedig bron. Edrychai'r gweflau a'r talcen crychiog fel pe bai'r benglog wedi crebachu dan y croen a hongianai'n degyll llac am bob asgwrn. Hyd yn oed heb ei sbectol, buasai Gwenda wedi teimlo'n annifyr yn ei bresenoldeb. Roedd ganddo lygaid lliw afu fatha gwaedgi, ac am ennyd edrychodd yn syth at Gwenda a theimlodd ei dwylo'n cydio'n dynnach yn y llyw, a blewiach ei gwar yn gwrychynu. Yna, fel y bydd ci neu gath yn colli diddordeb ynddoch chi, fe ryddhawyd Gwenda o afael y llygaid anghynnes yma a sgubodd eu trem am ennyd yn ôl ac ymlaen ar hyd y ffordd cyn troi am y tro olaf ar y mans a'i beriglor ofnus.

Cyn i'r gwaedgi fynd i mewn i'w gar, roedd Gwenda wedi llwyddo i ailgychwyn y Metro gan yrru mor gyflym ag y meiddiai ar hyd y lôn gul heibio i'r tŷ. Doedd hi ddim yn siŵr a oeddent wedi'i gweld yn sbïo arnynt drwy'r ffenest, roedd hi wedi symud cyn gynted ag oedd y dyn wedi dechrau codi'i ben ond roedd panig wedi cydio ynddi erbyn hyn.

Pan welodd droad i'r chwith fe'i cymerodd ar ei hunion, yr olwynion yn sgrialu ym madredd y dail ar ochr y ffordd. Taflodd gipolwg yn ei drych a meddyliodd ei bod yn gweld cochni'r Ferrari yn ei dilyn. Aeth o gwmpas y tro a gwelodd ail droad i'r chwith. Roedd ager ar y sgrin a smwclaw'n drwch o bobtu. Tarodd y car ymyl y ffordd a bu bron iddi golli rheolaeth arno, ond llwyddodd i gadw'i gafael ar y llyw. Gallai weld rŵan fod y ffordd yn glir o'i blaen ac yn rhedeg yn syth fel saeth. Cadwodd ei throed yn sownd ar y sbardun am sbelan go lew cyn i gip arall yn ei drych ddangos fod y ffordd y tu ôl iddi'n glir. Tynnodd ei throed oddi ar y sbardun a stopio.

Doedd hi erioed wedi profi pwl mor wirion o banics. Rhegodd a thrawodd y llyw'n anniddig. Roedd y niwl yn dechrau clirio a llewyrch yr haul yn melynu'r awyr o'i blaen. Cychwynnodd drachefn heb amcan yn y byd ynglŷn â lle'r oedd hi nac i ble roedd hi'n mynd.

Roedd ei hennyd wan drosodd ac roedd hi'n teimlo'n hurt ac yn rhwystredig. Ceisiodd ymresymu â hi'i hun. A oedd hi wedi dychmygu'r olygfa yn y tŷ a hithau'n crefu am blot i stori? Falla iddi hogi'i synhwyrau'n rhy fain dros y dyddiau diwethaf. Wedi'r cwbl, dydi cyfoeth a chrefydd ddim yn bethau hollol anghymharus i'w gweld yng nghwmni'i gilydd. Dichon fod yna esboniad.

Ond yn sydyn, gwyrodd ei meddwl fel pe bai newydd fynd dros ymyl llithrfa. Mewn fflach, roeddhi wedi cofio pryd yr oedd wedi teimlo ofnadwy-aeth o'r fath o'r blaen.

Roedd hi'n fach ac yn cerdded heibio i hen fwtri yn yr iard gartref. Diwrnod poeth. Am ryw reswm, roedd düwch cysgodion y bwtri yr hafddydd chwilboeth hwnnw wedi'i droi'n anheddfa i holl fwganod erchyll y bydysawd iddi.

Roedd llechfaen cell gudd ofnau'i phlentyndod wedi'i agor led y pen, fel beddrod y meirw byw mewn ffilm arswyd. Roedd haenau o anghofus-rwydd yn cael eu plicio'n ôl fel croen nionyn; pridd y blynyddoedd yn cael ei rofio oddi ar wreiddiau afrosgo, briwiedig. Roedd ellyllon angof wedi'u rhyddhau ac yn brasgamu drwy'i phen fel haid o heddlu cudd gan dyrchu a thurio a chicio ar agor ystafelloedd a fu dan glo ers cyhyd.

Stopiodd Gwenda y car o dan goeden unig yng nghanol y gwastatir a diffodd yr injan. Anadlodd yn ddwfn i geisio rheoli curiad ei chalon yn tic-tician fel aden yn ei brest, a phlygu'i phen dros y llyw, ei dwylo'n crynu a chwys oer ar ei chledrau. Roedd yn rhaid iddi gael awyr iach. Tynnodd yr agoriad, ac aeth i agor y drws.

Ond cyn iddi adael ei sedd, clywodd sŵn a chododd ei llygaid. Yn y drych gwelodd fod y Ferrari coch wedi stopio y tu ôl iddi.

Caeodd y drws gan roi'r agoriad yn ôl yn y taniwr. Roedd hi wedi llwyddo i gloi'r llyw fel na fedrai droi'r allwedd i aildanio'r injan.

'Damia chdi. C'mon . . . C'mon.' Roedd clo'r llyw'n gwrthod symud.

Gwyddai fod yna rywun yn cerdded at y drws. Trodd ei phen . . . ond doedd neb yno. Sbiodd yn y drych—ond doedd dim sôn am y car coch mwyach.

Roedd yr ellyllon wedi cilio a'r llechfaen wedi'i selio drachefn.

Datglôdd y llyw a thaniodd yr injan.

Hefyd gan Martin Davis:

LLOSGI'R BONT

Pum stori ffres, ddoniol, ddwys a deifiol am anallu criw brith o gymeriadau pentrefol, yn Gymry a Saeson, i gyfathrebu â'i gilydd . . .

0 86243 262 6

£3.95

WEST GLAMORGAN COUNTY LIBRARY

1	11/99	18		35		52	
2	2 94	19		36		53	
3		20		37		54	
4	11/04	21		38		55	
5		22		39		56	
6		23		40		57	
7	9/93	4		41		58	
8		5		42		59	
9				43		60	
10				44		61	
11				45		62	
12	4 96			46		63	
13			0/02	47		64	
14				48		65	
15				49		66	
16				50		67	
17				51		68	
						69	
						70	

82-2/97

COMMUNITY SERVICES

WGCL 111
LIB/008